ISMAEL

ISMAEL

Tradução de THELMA MÉDICE NÓBREGA

Ilustração da capa e desenhos das letras de
TAISA BORGES

DANIEL QUINN

Para Rennie

Prefácio à edição brasileira

O que sabemos da humanidade e de seu comportamento? A história oficial, vista por olhos humanos, é um desfilar de nossas grandes conquistas e, ao mesmo tempo, contraditoriamente, a angústia de reconhecer a ameaça de uma iminente extinção da espécie.

Todos compartilhamos dessa angústia e procuramos meios de interferir para que esse futuro sombrio não se concretize. Todos temos um desejo sincero de salvar o mundo! E gostaríamos de encontrar um professor disposto a nos acolher como discípulos para nos ensinar a satisfazer esse desejo.

O narrador desta belíssima fábula teve essa oportunidade. Respondendo a um anúncio de jornal, foi ao encontro do professor que procurava alunos com o desejo sincero de salvar o mundo. Esse professor, para espanto do narrador e dos leitores, é um gorila. Uma criatura de imensa sabedoria que, por várias circunstâncias, aprendeu a se comunicar com os humanos pelo olhar e que, no curso de sua vida, leu e discutiu as principais obras da história da humanidade, analisou o comportamento de nossa espécie, tirou suas conclusões sobre a condição humana e pôs-se a transmitir aos homens a sua visão da humanidade.

Um cartaz pendurado na sala do professor, com a pergunta: "Com o fim da humanidade, haverá esperança para o gorila?", estimulou nosso narrador a se matricular no curso. Ismael nos dá uma versão ampla, provocativa e inquietante da história da humanidade. Como chegamos a um tal estado de angústia existencial? A ameaça de extinção da espécie humana é real. A degradação ambiental e moral é testemunhada no nosso cotidiano. Haverá saída? O que pode cada um de nós fazer?

Numa narrativa erudita, sem perder a simplicidade, o mestre Ismael nos conduz ao reverso da pergunta acima: com o fim do gorila, haverá esperança para a humanidade?

Daniel Quinn escreveu este livro e tentou, sem sucesso, publicá-lo. Talvez por ser demasiadamente incisivo. Um dia, leu no jornal, como o seu narrador, o anúncio de um concurso chamado Turner Tomorrow Fellowship, aberto a obras de ficção que apresentassem soluções para os problemas mundiais. Ganhou o concurso e *Ismael* tornou-se um *best-seller*.

Esta é uma leitura necessária e urgente para todos aqueles, jovens e adultos, que têm um desejo sincero de salvar o mundo.

UBIRATAN D'AMBROSIO

UM

1

A primeira vez que li o anúncio, engasguei, xinguei e atirei o jornal no chão. Como nem isso pareceu bastar, apanhei-o de novo, marchei até a cozinha e joguei-o no lixo. Já que estava lá, preparei um pequeno café da manhã e deixei que o tempo me acalmasse. Comi e pensei em assuntos totalmente diversos. É isso aí! Depois, tirei o jornal do lixo e o abri na seção de Classificados Pessoais, só para ver se o maldito anúncio continuava lá, do jeito que me lembrava dele. Continuava.

> PROFESSOR procura aluno.
> Deve ter um desejo sincero de salvar o mundo.
> Candidatar-se pessoalmente.

Um desejo sincero de salvar o mundo! Gostei. Muito bonito. Um desejo sincero de salvar o mundo – sim, era esplêndido. Antes do meio-dia, duzentos lunáticos, desmiolados, estúpidos, pirados, aloprados, perdidos e outros malucos e boçais sem dúvida estariam em fila no endereço indicado, dispostos a abrir mão de todos os seus bens terrenos pelo raro privilégio de sentar-se aos pés de algum guru iluminado, portador da novidade de que tudo se resolverá se virarmos para o lado e dermos um forte abraço em nosso vizinho.

Vocês devem estar se perguntando: por que esse homem está tão indignado, tão amargo? É uma pergunta justa. Na verdade, é a pergunta que eu fazia a mim mesmo.

A resposta remonta a uma época, há algumas décadas, em que eu enfiara na cabeça que tudo o que mais queria no mundo era... encontrar um professor. Isso mesmo. Imaginava que queria um professor, que precisava de um professor. Alguém que me mostrasse como fazer algo que se podia chamar de... salvar o mundo.

Idiota, não? Infantil, ingênuo, simplório, imaturo... Ou simplesmente tolo. Sendo eu de uma normalidade tão patente em outros aspectos, são necessárias algumas explicações.

Aconteceu assim.

Durante a revolta juvenil dos anos 1960 e 1970, eu era velho o bastante para entender o que a garotada tinha em mente – queriam virar o mundo de cabeça para baixo – e jovem o bastante para acreditar que conseguiriam isso. É verdade. Todas as manhãs, ao abrir os olhos, esperava ver que a nova era começava, que o céu estava mais azul e a grama, mais verde. Esperava ouvir risos no ar e ver as pessoas dançando nas ruas. E não só a garotada: todo mundo! Não vou me desculpar por minha ingenuidade: basta ouvir as canções da época para saber que eu não era o único.

Daí, um dia, quando estava no meio da adolescência, acordei e compreendi que a nova era nunca começaria. A revolta não fora vencida – simplesmente se reduzira a um modismo. Será que fui o único no mundo que ficou desiludido? Perplexo? Parecia que sim. Todos pareciam prontos a enterrar o caso com um sorriso cínico e dizer: "Bom, o que você esperava? Nunca passou e nunca passará disso. Ninguém está disposto a salvar o mundo porque ninguém dá a mínima para o mundo – aquilo era apenas conversa de um bando de garotos malucos. Procurem um emprego, juntem algum dinheiro, trabalhem até os sessenta anos, e então mudem-se para a Flórida e morram".

Eu não podia descartar a questão assim e, em minha inocência, achei que devia existir *alguém* no mundo com uma sabedoria oculta que dissipasse minha desilusão e perplexidade: um professor.

Mas é claro que não existia.

Eu não queria um guru, ou um mestre de *kung-fu*, ou um diretor espiritual. Não queria me tornar um mago, nem aprender a arte do arqueiro zen, nem meditar, nem harmonizar meus chacras, nem desvendar minhas antigas encarnações. Artes e disciplinas desse tipo são fundamentalmente egoístas: todas têm a finalidade de beneficiar o discípulo, não o mundo. Eu buscava algo totalmente diferente, que não estava nas Páginas Amarelas nem em nenhum outro lugar.

Em *Viagem ao oriente*, de Hermann Hesse, nunca se descobre qual era a formidável sabedoria de Leo. Hesse não podia nos dizer o que ele próprio não sabia. Ele era como eu – apenas desejava que houvesse alguém no mundo como Leo, alguém com um conhecimento secreto e uma sabedoria superior. Na verdade, é claro que não existe nenhum conhecimento secreto; ninguém conhece nada que não se encontre sobre uma prateleira da biblioteca pública. Mas eu não sabia disso então.

Sendo assim, procurei. Por mais idiota que pareça, procurei. Em comparação, buscar o Santo Graal teria sido mais sensato. Não falarei disso, é muito embaraçoso. Procurei até que recobrei a lucidez. Parei de dar uma de tolo, mas algo morreu dentro de mim – algo de que sempre gostara, admirara. No seu lugar, formou-se uma cicatriz: um ponto resistente, mas também doloroso.

E, agora, anos após eu desistir da busca, eis que um charlatão punha um anúncio no jornal procurando exatamente o mesmo jovem sonhador que eu fora havia quinze anos.

Mas isso ainda não explica minha ira, não é?

Que tal esta analogia: você esteve apaixonado por alguém durante dez anos, por alguém que mal sabia da sua existência. Fez de tudo, tentou de tudo para que esse alguém entendesse que você era uma pessoa valiosa, estimável, digna de ser amada. Então, um dia você abre o jornal e seu olhar resvala pela coluna de Classificados Pessoais e dá com um anúncio desse alguém... buscando outro digno de ser amado e disposto a amar.

Sim, sei que não é exatamente igual. O professor desconhecido não tinha por que me procurar antes de anunciar que buscava um aluno. Por outro lado, se o professor fosse um charlatão, como eu supunha, por que eu *desejaria* que ele me procurasse?

Resolvi deixar pra lá. Estava sendo irracional. Acontece com as melhores famílias.

2

Mas é claro que eu tinha de ir lá. Precisava me certificar de que era apenas outro engodo. Entendem, não é? Trinta segundos bastariam, uma simples olhada, dez palavras que ele dissesse. Então, eu saberia. Poderia voltar para casa e esquecer o assunto.

Ao chegar, fiquei surpreso por ver que se tratava de um prédio comercial daqueles bem comuns, cheio de assessores de imprensa ordinários, advogados, dentistas, agências de viagem, um quiroprático e um ou dois detetives particulares. Esperava uma atmosfera um pouco mais misteriosa – um prédio de tijolos com paredes revestidas de madeira, tetos altos e janelas vedadas, talvez. Procurei a sala 105 e a encontrei aos fundos, onde a janela devia dar para o beco. A porta não informava nada. Empurrei-a e me vi numa sala grande e vazia. O espaço incomum fora criado derrubando-se as paredes interiores; ainda se viam as marcas no piso de madeira nua.

Tal foi minha primeira impressão: a de vazio. A segunda foi olfativa. O ambiente cheirava a circo – ou melhor, aos animais de circo – de modo inconfundível, mas não desagradável. Olhei em volta. A sala não estava totalmente vazia. Junto da parede esquerda havia uma pequena estante com trinta ou quarenta volumes, principalmente de história, pré-história e antropologia. Uma solitária cadeira estofada jazia no meio, virada para uma desolada parede branca à direita, parecendo esquecida lá pela firma de mudanças. Sem dúvida, era reservada para o mestre, e os discípulos ficariam ajoelhados ou agachados sobre esteiras, formando um semicírculo a seus pés.

Mas onde estavam esses discípulos, que eu previra encontrar às centenas? Teriam vindo e depois sido conduzidos a algum lugar, tal como as crianças de Hamelin? A névoa uniforme de poeira que cobria o chão excluía essa fantasia.

Havia algo de incomum na sala, mas tive de olhar em volta mais uma vez para descobrir o que era. Na parede oposta à porta, duas altas janelas de batente permitiam a entrada de uma tênue luz vinda do beco. A parede da esquerda, que separava o escritório vizinho, nada apresentava. A parede da direita era cortada por uma grande janela de vidro laminado, mas que seguramente não comunicava com o mundo exterior, pois por ali não passava luz nenhuma. Dava para uma outra sala, menos iluminada do que o aposento onde me encontrava. Tentei imaginar que objeto de devoção estaria exposto ali, a salvo do toque de mãos curiosas. Seria algum *yeti* ou pé-grande embalsamado, feito de pele de gato ou papel machê? Seria o corpo do tripulante de um óvni, abatido por um membro da Guarda Nacional antes de transmitir sua mensagem das estrelas: "Somos todos irmãos. Sejam amáveis"?

Como a escuridão lhe servia de fundo, o vidro dessa janela era preto – opaco, reflexivo. Não tentei ver além dele ao me aproximar: era eu o objeto de minha observação. Chegando perto, continuei a olhar o reflexo dos meus olhos por um momento. Depois, focalizando além do vidro, vi-me diante de outro par de olhos.

Recuei, sobressaltado. Então, compreendendo o que via, recuei outro passo, dessa vez com um pouco de medo.

A criatura do outro lado do vidro era um gorila dos grandes. *Dos grandes* não diz nada, é claro. Ele era aterrorizantemente enorme, um rochedo, um bloco de Stonehenge. Só seu volume já era alarmante, apesar de não usá-lo de modo ameaçador. Ao contrário: estava placidamente recostado, mordiscando um ramo delgado que segurava na mão esquerda como um cetro.

Eu não sabia o que dizer. Devem avaliar como esse fato me perturbou. Senti que devia falar, pedir desculpas, explicar minha presença, justificar a invasão, pedir o perdão da criatura. Senti que era uma afronta mirar seus olhos, mas estava paralisado, inerte. Não conseguia olhar para mais nada no mundo a não ser seu rosto. Era mais medonho do que todos os do reino animal por se assemelhar tanto ao nosso; porém, à sua maneira, era também mais nobre do que todos os ideais gregos de perfeição.

Nenhum obstáculo de fato nos separava. O painel de vidro se romperia como papel se ele o tocasse. Mas não parecia ter a menor intenção de fazê-lo. Continuou sentado, mirando meus olhos, mordiscando o ramo e esperando. Não, não estava esperando. Estava simplesmente *ali*, estivera antes de minha chegada e estaria depois de minha partida. Eu tinha o pressentimento de que eu importava para ele tanto quanto uma nuvem passageira para um pastor que repousasse na encosta de uma colina.

O medo começou a diminuir, devolvendo-me a consciência de minha situação. Disse a mim mesmo que o professor obviamente não estava por ali, que não havia o que fazer, que o melhor era ir embora. Mas não queria partir com a sensação de que não realizara nada. Olhei em volta, pensando em deixar um bilhete, se encontrasse algo onde (e com que) escrever, mas não achei nada. Essa busca, movida pela ideia da comunicação escrita, trouxe à minha atenção algo que passara despercebido na sala atrás do vidro; era um cartaz ou pôster pendurado atrás do gorila, que dizia:

COM O FIM DA HUMANIDADE
HAVERÁ ESPERANÇA
PARA O GORILA?

O cartaz me fez parar – ou melhor, o texto me fez parar. As palavras são minha profissão; apoderei-me daquelas e exigi que se explicassem, que deixassem de ser ambíguas. Implicariam que a esperança para os gorilas estava na extinção da raça humana ou em sua sobrevivência? Ambos os sentidos eram possíveis.

É claro, era um *koan* – escrito para ser inexplicável. Desagradou-me por esse motivo, e também por outro: parecia que aquela magnífica criatura estava sendo mantida em cativeiro com o único intuito de servir como ilustração para aquele *koan*.

"Você realmente precisa fazer algo a esse respeito", disse, zangado, comigo. Depois acrescentei: "Seria melhor que sentasse e ficasse tranquilo".

Ouvi o eco dessa estranha advertência como o fragmento de uma música que não consegui identificar. Olhei para a cadeira e pensei: *Seria* melhor me sentar e ficar tranquilo? Se fosse assim, por quê? A resposta não tardou: *Porque, se ficar tranquilo, será mais capaz de ouvir*. Sim, pensei, isso é inegável.

Por nenhum motivo consciente, ergui os olhos e os dirigi para meu bestial companheiro da sala ao lado. Como todos sabem, os olhos *falam*. Um casal de estranhos pode, sem esforço, revelar seu mútuo interesse e atração por meio de um simples olhar. Os olhos *dele* falaram, e eu entendi. Minhas pernas viraram geleia e mal consegui chegar à cadeira antes de desmoronar.

– Mas como? – perguntei, não ousando emitir as palavras em voz alta.

– Que diferença faz? – ele respondeu, também em silêncio. – É assim, e nada mais precisa ser dito.

– Mas você... – explodi. – Você é...

Percebi que, tendo chegado à palavra, e sem outra para pôr no lugar, não conseguia pronunciá-la.

Após um momento, ele assentiu com um gesto de cabeça, como que reconhecendo minha dificuldade.

– Sou o professor.

Por algum tempo, ficamos a nos olhar, e eu sentia a cabeça vazia como um celeiro abandonado.

Em seguida, ele disse:

– Precisa de tempo para se recompor?

– Sim! – exclamei, em voz alta pela primeira vez.

Virou a enorme cabeça de lado e me espiou curiosamente.

– Ajudaria se ouvisse minha história?

– Certamente que sim – respondi. – Mas antes, por gentileza, pode me dizer seu nome?

Encarou-me por algum tempo sem responder e (até onde eu percebia na época) sem expressão. Então, prosseguiu, como se eu não tivesse dito nada.

– Nasci em algum lugar nas florestas equatoriais da África Ocidental – disse ele. – Nunca tentei descobrir exatamente onde e não vejo motivo para tentar agora. Por acaso conhece os métodos de Frank e Osa Johnson?

Levantei os olhos, espantado.

– Frank e Osa Johnson? Nunca ouvi falar.

– Foram famosos colecionadores de animais dos anos 1930. O método deles com os gorilas era assim: quando encontravam um bando, matavam as fêmeas e pegavam todos os filhotes à vista.

– Que horror – disse eu, sem pensar.

A criatura encolheu os ombros.

– Não tenho nenhuma lembrança real do evento, apesar de lembrar de períodos anteriores. De qualquer modo, os Johnsons me venderam a um zoológico de alguma cidadezinha do nordeste. Não sei qual, pois ainda não tinha consciência de tais coisas. Lá cresci e vivi por muitos anos.

Fez uma pausa e ficou algum tempo mordiscando distraidamente o ramo, como se reunisse seus pensamentos.

Em tais lugares (prosseguiu ele enfim), por serem simplesmente trancafiados, os animais quase sempre são mais reflexivos do que seus primos nas florestas. Mesmo os mais obtusos não podem deixar de intuir que há algo de muito errado com aquele modo de existir. Quando digo que são mais reflexivos, não estou sugerindo que adquiram o poder de raciocinar. Mas o tigre que vemos perambulando nervosamente pela cela na verdade se dedica a algo que um humano reconheceria como um pensamento. E esse pensamento é uma pergunta: *Por quê?* "Por quê, por quê, por quê, por quê, por quê, por quê?", o tigre se pergunta hora após hora, dia após dia, ano após ano, ao repisar seu infindável trajeto atrás das barras da cela. Ele não pode analisar a pergunta nem ampliá-la. Se fosse possível perguntar à criatura: "Por que *o quê?*", ela não seria capaz de responder. No entanto, a pergunta queima como chama inextinguível em sua mente, causando uma dor lacerante que só se aplaca quando a criatura entra numa letargia final, que os técnicos reconhecem como uma rejeição irreversível da vida. É claro, esse interrogar é algo que o tigre não faz em seu hábitat.

Não demorou para que eu também me pusesse a perguntar *por quê*. Sendo neurologicamente muito mais avançado que o tigre, era capaz de examinar o que a pergunta significava para mim, ao menos de modo rudimentar. Lembrava-me de um tipo diferente de vida, que era, para quem a vivera, interessante e agradável. Em comparação, a vida que eu levava era torturantemente monótona, e nunca agradável. Portanto, a pergunta era uma tentativa de desvendar *por que* a vida tinha de ser dividida assim: metade interessante e agradável, metade monótona e desagradável. Não tinha o conceito de cativeiro, não me ocorria que alguém estivesse me impedindo de ter uma vida interessante e agradável. Como minha pergunta permanecesse sem resposta, comecei a examinar as diferenças entre os dois estilos de vida. A diferença mais fundamental era que na África eu pertencera a uma família – um tipo de família que a gente de sua cultura não conhece há milhares de anos. Se os gorilas fossem capazes de tal nível de expressão, diriam que a família é a mão e que eles são os dedos. Estão totalmente conscientes de ser uma família, mas muito pouco conscientes de ser indivíduos. No zoológico havia outros gorilas – mas não havia família. Cinco dedos decepados não formam uma mão.

Examinei a questão de nossa alimentação. As crianças humanas sonham com uma terra em que as montanhas são feitas de sorvete, as árvores são feitas de pão de ló e as pedras são bombons. Para um gorila, a África é essa terra. Para onde quer que se vire, há algo maravilhoso para comer. Nunca pensa: "Puxa, é melhor eu procurar comida".

Há comida por toda parte e a apanhamos quase sem nos dar conta, como o ar que respiramos. Na verdade, não se pensa na alimentação como uma atividade distinta. Em vez disso, é como uma música deliciosa que forma o pano de fundo de todas as atividades que permeiam o dia. De fato, a alimentação se tornou alimentação para mim somente no zoológico, quando duas vezes ao dia grandes volumes de insossa forragem eram atirados em nossas jaulas.

Foi quebrando a cabeça com esses pequenos problemas que minha vida interior começou – de modo quase imperceptível.

Embora eu naturalmente não soubesse, a Grande Depressão estava causando seus estragos em todos os aspectos da vida americana. Zoológicos por toda parte eram obrigados a economizar, reduzindo o número de animais e assim cortando despesas de todos os tipos. Muitos animais foram simplesmente abatidos, creio eu, pois não havia procura no setor privado pelos que não fossem fáceis de cuidar nem coloridos ou sensacionais. As exceções eram, é claro, os grandes felinos e os primatas.

Para encurtar a história, fui vendido ao proprietário de um minizoológico ambulante com uma jaula vaga. Eu era um adolescente grande e impressionante e, sem dúvida, representava um seguro investimento a longo prazo.

Talvez você imagine que a vida numa jaula não seja diferente da vida em outra jaula, mas não é assim. Considere a questão do contato humano, por exemplo. No zoológico, todos os gorilas tinham consciência de nossos visitantes humanos. Eram uma curiosidade para nós, algo que valia a pena olhar, como pássaros ou esquilos ao redor de uma casa são de interesse para uma família humana. Era claro que aquelas estranhas criaturas estavam lá nos olhando, mas nunca nos ocorreu que viessem com um propósito definido. No minizoo, todavia, rapidamente obtive um verdadeiro entendimento desse fenômeno.

De fato, minha educação nesse ponto começou logo que me puseram em exposição. Um pequeno grupo se aproximou do meu vagão e, após um momento, começaram a *falar comigo*. Fiquei atônito. No zoológico, os visitantes falavam *uns com os outros* – nunca conosco. "Quem sabe, essa gente se confundiu", disse para comigo. "Quem sabe, pensem que sou um deles." Meu espanto e perplexidade cresceram quando, um após outro, cada grupo que visitava meu vagão se comportava da mesma forma. Eu simplesmente não sabia o que achar daquilo.

Naquela noite, sem me dar conta do que fazia, tentei pela primeira vez comandar meus pensamentos para resolver um problema. Seria possível, perguntei-me, que minha mudança de local tivesse de alguma forma mudado *a mim*? Não me sentia em absoluto mudado, e certamente nada em meu aspecto parecia ter mudado. Talvez, pensei, a gente que me visitara naquele dia pertencesse a uma espécie diferente da gente que ia ao zoológico. Mas tal raciocínio não me convenceu: os dois grupos eram idênticos em todos os detalhes, com uma exceção: um grupo falava entre si, ao passo que o outro falava comigo. Até o som da conversa era o mesmo. Tinha de ser outra coisa.

Na noite seguinte, voltei a atacar o problema. Raciocinei da seguinte forma: se nada mudou em mim e nada mudou neles, então *outra coisa* deve ter mudado. Eu sou o mesmo e eles são os mesmos; logo, alguma outra coisa *não* é a mesma. Analisando a questão dessa maneira, eu só via uma resposta: no zoológico houvera muitos gorilas, mas ali só havia um. Sentia o impacto disso, mas não conseguia imaginar por que os visitantes se comportariam de um modo na presença de muitos gorilas e de outro na presença de um só gorila.

No dia seguinte, tentei prestar mais atenção ao que meus visitantes diziam. Logo notei que, embora toda fala fosse diferente, havia um som que se repetia várias vezes, parecendo ter por finalidade chamar minha atenção. Claro que não podia aventurar um palpite quanto ao significado; não tinha nada que servisse como pedra filosofal.

O vagão à minha direita era ocupado por uma chimpanzé com um bebê, e eu já notara que os visitantes falavam com ela assim como falavam comigo. Depois notei que os visitantes empregavam um som recorrente distinto para atrair sua atenção. No vagão dela, os visitantes chamavam: "Zsa-Zsa! Zsa-Zsa!" No meu vagão, eles chamavam: "Golias! Golias! Golias!"

Seguindo esses pequenos passos, logo compreendi que os sons, de algum modo misterioso, se ligavam diretamente a nós dois *como indivíduos*. Você, que tem um nome desde que nasceu e que provavelmente pensa que até um cachorro de estimação sabe que tem um nome (o que é falso), não pode imaginar a revolução perceptiva que representa a aquisição de um nome. Não seria exagero dizer que nasci de verdade naquele momento – nasci como pessoa.

Da compreensão de que eu tinha um nome à compreensão de que *tudo* tinha um nome não foi um grande salto. Você pode pensar que um animal enjaulado não tem muita oportunidade para aprender a linguagem de seus visitantes, mas não é assim. Minizoos ambulantes atraem famílias, e logo descobri que os pais incessantemente instruem os filhos nas artes da linguagem: "Olha, Johnny, aquilo é um pato! Consegue dizer *pato*? P-a-a-t-o. Sabe como o pato fala? O pato fala assim: *quac-quac*".

Em poucos anos, eu era capaz de acompanhar a maioria das conversas ao alcance de meus ouvidos, mas descobri que a perplexidade caminha lado a lado com a compreensão. Sabia então que eu era um gorila e que Zsa-Zsa era uma chimpanzé. Também sabia que todos os habitantes dos vagões eram *animais*. Mas não conseguia perceber a constituição de um animal; nossos visitantes humanos claramente distinguiam entre si mesmos e os animais, mas eu era incapaz de imaginar por quê. Se eu entendia o que nos tornava animais (e achava que entendia), não conseguia entender o que *não* os tornava animais.

A natureza de nosso cativeiro já não era um mistério, pois a ouvira ser explicada para centenas de crianças. Todos os animais do minizoo ambulante tinham originalmente vivido em algo chamado A Selva, que se estendia por todo o mundo (fosse lá o que "mundo" significasse). Havíamos sido levados da Selva e reunidos num lugar porque, devido a algum estranho motivo, as pessoas nos achavam interessantes. Mantinham-nos em jaulas porque éramos "selvagens" e "perigosos" – termos que me confundiam porque, evidentemente, se referiam a qualidades que eu simbolizava. Quero dizer que, quando os pais queriam mostrar aos filhos uma criatura particularmente selvagem e perigosa, apontavam para mim. É verdade que também apontavam para os grandes felinos, mas, como eu nunca vira um grande felino fora da jaula, aquilo não me iluminava.

Em geral, a vida no minizoo ambulante era um progresso em relação à vida no zoológico, por não ser tão opressiva e maçante. Não me ocorreu ficar ressentido com os guardas. Embora tivessem um âmbito de movimento maior, pareciam tão presos ao minizoo quanto nós, e eu nem sequer suspeitava que vivessem uma existência totalmente diversa do lado de fora. Teria sido tão plausível que a lei de Boyle tivesse me ocorrido quanto a ideia de que fora injustamente privado de um direito nato, tal como o direito de viver como bem entendesse.

Devem ter se passado três ou quatro anos. Então, num dia chuvoso, quando o local estava deserto, recebi um visitante peculiar: um homem solitário, que me pareceu um ancião alquebrado, mas que, como soube mais tarde, tinha apenas quarenta e poucos anos. Até sua aproximação foi notável. Ficou parado na entrada do minizoo, olhou metodicamente um vagão de cada vez e depois dirigiu-se diretamente para o meu. Parou em frente à corda que se estendia a um metro e meio da jaula, plantou a ponta da bengala no chão diante de seus pés e mirou intensamente meus olhos. Por nunca ter ficado abalado com a atenção humana, placidamente retribuí seu olhar. Fiquei sentado e ele ficou em pé por vários minutos, ambos sem nos mexermos. Lembro-me de que senti uma admiração incomum por aquele homem, que suportava tão estoicamente o chuvisco que escorria pelo seu rosto e ensopava suas roupas.

Enfim, ele se aprumou e acenou-me com a cabeça como se tivesse chegado a uma conclusão cuidadosamente estudada.

– Você *não* é Golias – disse ele.

Com isso, virou-se e voltou com passos firmes por onde viera, sem olhar para nenhum lado.

4

Fiquei estupefato, como você pode imaginar. Não sou Golias? O que queria dizer *não* ser Golias?

Não me ocorreu perguntar: "Bem, se não sou Golias, então quem *sou* eu?" Um humano faria essa pergunta, porque saberia que, não importava seu nome, seguramente era *alguém*. Eu não sabia. Ao contrário, parecia-me que, se não era Golias, então não devia ser absolutamente ninguém.

Embora o estranho nunca houvesse posto os olhos em mim até aquele dia, não duvidei nem por um momento que ele falasse com autoridade inquestionável. Milhares de outros haviam me chamado pelo nome de Golias – mesmo aqueles que, como os funcionários do zoológico, me conheciam bem –, mas certamente aquela não era a questão, pois não esclarecia nada. O estranho não dissera: "Seu *nome* não é Golias". Ele dissera: "*Você* não é Golias". Fazia um mundo de diferença. Senti-me como se (embora não pudesse expressá-lo dessa forma na época) minha necessidade de ter uma identidade tivesse sido um engano.

Deixei-me arrastar para um estado de letargia, nem consciente, nem inconsciente. Um funcionário trouxe a comida, mas a ignorei. Caiu a noite, mas não dormi. A chuva parou e o sol nasceu sem que eu notasse. Logo lá estavam os costumeiros grupos de visitantes, chamando: "Golias! Golias! Golias!", mas não prestei atenção.

Vários dias se passaram dessa maneira. Então, uma noite, depois que o minizoo havia fechado as portas, bebi da minha vasilha e logo adormeci – um poderoso sedativo fora adicionado à água. Ao amanhecer, acordei numa jaula estranha. A princípio, por ser tão grande e ter formato tão estranho, nem a reconheci como uma jaula. De fato, era circular, vazada de todos os lados; como depois soube, um terraço circular fora adaptado para tal propósito. Exceto por uma casa branca perto dali, estava isolada no meio de um bonito parque que, segundo eu imaginava, devia se estender até os confins da Terra.

Não demorou para que eu concebesse uma explicação para essa estranha transferência. As pessoas visitavam o minizoo ambulante esperando, pelo menos em parte, ver um gorila chamado Golias; eu não imaginava de onde vinha essa expectativa, mas certamente deviam tê-la. E, quando o proprietário do zoológico soube que de fato eu não era Golias, tornou-se impossível continuar exibindo-me como tal, e a única solução fora me dispensar. Não sabia se lamentava o fato ou não. Meu novo lar era muito mais agradável do que tudo o que vira desde que deixara a África, mas sem o estímulo diário da multidão logo se tornaria até mais excruciantemente tedioso do que o zoológico, onde ao menos eu tivera a companhia de outros gorilas. Ainda ponderava essas questões quando, no meio da manhã, ergui os olhos e vi que não estava sozinho. Um homem se achava em pé logo depois das grades, uma silhueta negra que se recortava contra a distante casa banhada pelo sol. Aproximei-me com cautela e fiquei atônito ao reconhecê-lo.

Como que reencenando nosso encontro anterior, fitamos os olhos um do outro por vários minutos: eu, sentado no chão da jaula; ele, apoiado na bengala. Vi que, seco e com roupas passadas, deixara de ser o velho por quem eu o tomara. Seu rosto era comprido, moreno e de ossos salientes, os olhos ardiam com estranha intensidade e a boca parecia fixa numa expressão de amargo bom humor. Por fim, fez um gesto afirmativo com a cabeça exatamente como antes e disse:

– Sim, eu tinha razão. Você não é Golias. Você é Ismael.

Novamente, como se tudo o que importasse tivesse sido finalmente acertado, ele se virou e foi embora.

E, novamente, fiquei estupefato – mas dessa vez com uma sensação de profundo alívio, pois eu fora salvo do vazio. Não só isso: o erro que me fizera viver como um impostor involuntário durante tantos anos fora enfim corrigido. Tornara-me uma pessoa por inteiro – não de novo, mas pela primeira vez.

Consumia-me de curiosidade pelo meu salvador. Não pensei em associá-lo com minha transferência do zoológico para aquele encantador belvedere, pois ainda era incapaz da mais primitiva das falácias: *post hoc, ergo propter hoc**. Ele me parecia um ser sobrenatural. Para uma mente preparada para a mitologia, ele era o princípio do que se chama de *divino*. Fizera duas breves aparições em minha vida – e nas duas vezes, com um simples enunciado, transformara-me. Tentei buscar o sentido subjacente a essas aparições, mas encontrei apenas perguntas. Aquele homem fora ao zoológico em busca de Golias ou de mim? Fora porque *esperava* que eu fosse Golias ou porque suspeitava que eu *não* fosse Golias? Como me encontrara tão prontamente em meu novo paradeiro? Eu não tinha medida do alcance da informação humana; se era de conhecimento comum que eu podia ser encontrado no zoológico (como parecera ser), também seria de conhecimento público que agora eu podia ser encontrado lá? Apesar de todas as perguntas irrespondíveis, permanecia o fato esmagador de que aquela misteriosa criatura duas vezes me procurara para me tratar de um modo sem precedentes – como uma pessoa. Eu tinha certeza de que, tendo finalmente resolvido a questão da minha identidade, ele desapareceria da minha vida para sempre: o que mais lhe restava fazer?

---

* "Depois disso, logo por causa disso." Fórmula da antiga escolástica, com a qual se desmascarava o erro de quem atribuía a causa de um efeito a um fato que não tinha com ele outra relação a não ser a precedência no tempo. (N. do E.)

Sem dúvida, você deve estar pensando que todas essas ansiosas conjeturas não passavam de fantasias. No entanto, a verdade (como depois soube) não era menos fantástica.

Meu benfeitor era um rico comerciante judeu desta cidade, chamado Walter Sokolow. No dia em que me descobriu no minizoo, estivera caminhando sob a chuva tomado de uma depressão suicida que se abatera sobre ele quando soube, sem sombra de dúvida, que toda a sua família fora dizimada no holocausto nazista. Perambulou até chegar a um parque de diversões montado nos limites da cidade e entrou sem nada especial em mente. Devido à chuva, quase todas as tendas e brinquedos estavam fechados, dando ao lugar um ar de abandono que combinava com sua melancolia. Enfim, chegou às jaulas dos animais, onde uma série de gravuras apelativas anunciava as principais atrações. Uma delas, mais apelativa do que as outras, retratava o gorila Golias brandindo o corpo ferido de um nativo africano como se este fosse uma arma. Walter Sokolow, talvez achando que um gorila chamado Golias fosse o símbolo adequado para o gigante nazista que então se dedicava a esmagar a raça de Davi, decidiu que teria prazer em contemplar tal monstro atrás das grades.

Entrou, aproximou-se de meu vagão, mas, ao fitar meus olhos, logo percebeu que eu não tinha nenhuma relação com o monstro sedento de sangue que a gravura mostrava – e, na verdade, nem com o filisteu que torturava a sua raça. Percebeu que não sentia prazer nenhum ao me ver atrás das grades. Ao contrário, num gesto quixotesco de culpa e desafio, decidiu resgatar-me de minha jaula e fazer de mim o pavoroso substituto da família que ele deixara de resgatar da jaula que se tornara a Europa. O dono do minizoo concordou com a venda; ficou até contente em deixar que o sr. Sokolow contratasse o encarregado que cuidara de mim desde a minha chegada. Era um homem realista: com a inevitável entrada da América na guerra, espetáculos itinerantes como o seu passariam a temporada hibernando ou simplesmente desapareceriam.

O sr. Sokolow esperou um dia para que eu me acostumasse ao novo ambiente e depois voltou para travar relações comigo. Pediu ao encarregado que lhe mostrasse como tudo era feito, do preparo da minha alimentação à limpeza da jaula. Perguntou se ele me achava perigoso. O encarregado disse que eu era como uma peça de maquinaria pesada – perigoso não por temperamento, mas apenas por meu tamanho e força.

Depois de uma hora, o sr. Sokolow mandou-o embora e encaramo-nos em longo silêncio, como nas duas vezes anteriores. Finalmente – com relutância, como que vencendo uma temível barreira interior –, ele começou a falar comigo, não da maneira jocosa dos visitantes do minizoo, mas como alguém que se dirige ao vento ou às ondas que arrebentam na praia, proferindo o que deve ser dito, mas não ouvido por ninguém. Aos poucos, enquanto desafogava suas dores e autorrecriminações, foi se esquecendo da necessidade de cautela. Passada uma hora, estava apoiado na jaula, segurando uma das barras da grade. Olhava para o chão, perdido em pensamentos, e aproveitei a oportunidade para expressar minha simpatia, inclinando-me e acariciando gentilmente as costas de sua mão. Ele saltou para trás, tomado de susto e horror; porém, ao indagar meus olhos, tranquilizou-se ao perceber que meu gesto fora tão inocente quanto parecera.

Alertado por essa experiência, começou a suspeitar de que eu possuía inteligência real, e alguns testes simples bastaram para convencê-lo. Tendo certeza de que eu entendia suas palavras, ele se apressou a concluir (como outros que mais tarde trabalharam com primatas) que eu deveria ser capaz de produzir algumas. Resumindo, decidiu ensinar-me a falar. Deixarei de lado os meses dolorosos e humilhantes que se seguiram. Nenhum de nós entendia que a dificuldade era invencível, pois eu não tinha o aparelho fônico básico. Sem essa compreensão, prosseguimos o trabalho imaginando que um belo dia a aptidão se manifestaria em mim como num passe de mágica. Mas enfim chegou o momento em que eu não podia mais continuar e, na angústia de não ser capaz de lhe dizer isso, pensei com todo o poder mental que possuía. Ficou assombrado – como eu, quando percebi que ele ouvira meu grito mental.

Não descreverei todos os passos de nosso progresso depois que atingimos comunicação plena, já que não é difícil imaginá-los. Ao longo da década seguinte, ele me ensinou tudo o que sabia sobre o mundo, o universo e a história humana. Quando minhas perguntas ultrapassaram seu conhecimento, passamos a estudar juntos. E, quando meus estudos me levaram além dos seus interesses, ele teve prazer em se tornar meu assistente de pesquisa, buscando livros e informações em lugares que, é claro, não me eram acessíveis.

Cuidar de minha educação proporcionou um novo e absorvente interesse ao meu benfeitor, que aos poucos deixou de se atormentar pelo remorso e recuperou-se de sua depressão. No início dos anos 1960, eu era um hóspede que já não necessitava de muita atenção de seu anfitrião. O sr. Sokolow se permitiu reaparecer nos círculos sociais, e o resultado previsível foi que logo se viu nas mãos de uma mulher de quarenta anos que achou que podia transformá-lo num marido satis-fatório. De fato, ele não era nem um pouco avesso ao casamento, mas por este cometeu um erro terrível: decidiu esconder de sua esposa nosso relacionamento especial. Não era uma decisão extraordinária naquele tempo, e eu não tinha muita experiência nessas questões para reconhecer que fora um erro.

Mudei-me de novo para o belvedere, logo que foi reformado de modo a comportar os hábitos civilizados que eu adquirira. Desde o início, todavia, a sra. Sokolow me achou um estranho e assustador bicho de estimação e começou uma campanha pela minha rápida venda ou transferência. Por sorte, meu benfeitor estava acostumado a fazer as coisas a seu modo e deixou claro que não haveria súplica ou coerção que mudasse a situação por ele criada para mim.

Poucos meses após o casamento, ele foi à minha jaula me contar que sua esposa, tal qual a Sara de Abraão, em breve o presentearia com uma criança, fruto de sua maturidade.

– Não previa nada semelhante quando o chamei de Ismael – disse ele. – Mas pode ter certeza de que não permitirei que ela o expulse de casa, como Sara expulsou seu homônimo da casa de Abraão.

Contudo, divertia-o dizer que, se nascesse um menino, seu nome seria Isaac. Mas acabou sendo uma menina e eles a chamaram de Rachel.

5

Nesse ponto, Ismael fechou os olhos e fez uma pausa tão longa que comecei a imaginar se não teria dormido. Mas enfim continuou.

– Sabiamente ou não, meu benfeitor decidiu que eu seria o mentor da menina, e eu (sabiamente ou não) fiquei encantado com a chance de agradar-lhe dessa forma. Nos braços do pai, Rachel passava quase tanto tempo comigo quanto com a mãe – o que, naturalmente, não ajudou muito a melhorar a reputação que essa pessoa tinha a meu respeito. Por ser capaz de me comunicar com a menina numa linguagem mais direta que a fala, conseguia acalmá-la e diverti-la quando os outros falhavam nisso, e um vínculo foi crescendo entre nós, comparável ao que existe entre gêmeos idênticos – exceto por eu ser seu irmão, bicho de estimação, professor e babá, tudo ao mesmo tempo.

"A sra. Sokolow mal esperava pelo dia em que Rachel começasse a ir à escola, pois seus novos interesses a afastariam de mim. Quando isso não ocorreu, ela renovou sua campanha pela minha remoção, temendo que minha presença interrompesse o crescimento social da menina. Seu crescimento social permaneceu ininterrupto, todavia, embora tenha pulado nada menos que três séries no ginásio e um grau no colegial; obtive o título de mestre em biologia antes de completar vinte anos. Mas, depois de tantos anos sendo frustrada numa questão que dizia respeito à administração de sua própria casa, a sra. Sokolow não precisou mais de nenhum motivo determinado para me desejar longe dali.

"Depois da morte do meu benfeitor, em 1985, a própria Rachel se tornou minha protetora. Permanecer no belvedere estava fora de questão. Usando fundos deixados para esse propósito no testamento do pai, Rachel transferiu-me para um retiro que fora preparado com antecedência."

Mais uma vez Ismael caiu em silêncio por vários minutos. Então, continuou.

– Nos anos que se seguiram, nada saiu conforme os planos ou as esperanças. Vi que não estava contente em me "retirar"; tendo passado a vida em retiro, eu desejava de algum modo avançar para o centro mesmo da cultura de minha nova protetora, e passei a esgotar sua paciência tentando um acordo fraternal depois do outro. Ao mesmo tempo, a sra. Sokolow não se contentava em deixar as coisas como estavam e convenceu um tribunal a cortar pela metade os fundos que haviam sido reservados para meu sustento vitalício.

"Somente em 1989 as coisas se esclareceram. Naquele ano, eu finalmente compreendi que minha vocação não realizada era ensinar – e finalmente concebi um sistema que me permitiria existir em circunstâncias toleráveis nesta cidade."

Fez um gesto com a cabeça indicando que era o fim de sua história – ou era até onde estava disposto a contar.

6

Há momentos em que ter de mais a dizer é tão emudecedor como ter de menos. Não me ocorria como responder de modo adequado ou polido a tal narrativa. Afinal fiz uma pergunta que parecia não ser mais nem menos vazia do que as outras dezenas que me ocorreram.

— E tem tido muitos alunos?

— Tive quatro, e fracassei com os quatro.

— Por que fracassou?

Ele fechou os olhos e pensou um pouco.

— Fracassei porque subestimei a dificuldade do que tentava ensinar e porque não entendia a mente dos alunos o suficiente.

— Entendo — disse eu. — E o que você *ensina*?

Ismael selecionou um ramo novo da pilha à sua direita, examinou--o brevemente e começou a mordiscá-lo, olhando-me com languidez. Enfim, respondeu:

— Baseando-se em minha história, que assunto diria que estou mais preparado para ensinar?

Olhei-o sem entender e respondi que não sabia.

— Claro que sabe. Meu assunto é *cativeiro*.

— Cativeiro?

— Correto.

Fiquei quieto por um minuto, depois disse:

— Estou tentando imaginar o que isso tem a ver com salvar o mundo.

Ismael pensou um pouco.

— Dentre as pessoas de sua cultura, quais desejam destruir o mundo?

— Quais *desejam* destruir o mundo? Até onde eu saiba, ninguém especificamente *deseja* destruir o mundo.

— E, no entanto, o destroem, todos vocês. Cada um contribui diariamente para a destruição do mundo.

— Sim, é verdade.

— Por que não param?

Encolhi os ombros.

– Francamente, não sabemos como.

– São cativos de um sistema civilizacional que mais ou menos os compele a prosseguir destruindo o mundo para continuarem vivendo.

– Sim, é o que parece.

– Portanto, são cativos e tornaram o próprio mundo um cativeiro. É o que está em jogo, não é? O cativeiro de vocês e o cativeiro do mundo.

– Sim, é verdade. Mas nunca pensei dessa maneira.

– Você mesmo é um cativo a seu modo, não é?

– Como assim?

Ismael sorriu, revelando uma grande massa de dentes brancos como mármore. Até então eu não sabia que era capaz de sorrir.

– Tenho a *impressão* de ser um cativo, mas não sei explicar por que tenho tal impressão – disse eu.

– Anos atrás (você devia ser criança na época, talvez não se lembre), muitos jovens deste país tiveram a mesma impressão. Fizeram um esforço ingênuo e desorganizado de escapar do cativeiro, mas acabaram fracassando, porque não foram capazes de encontrar as barras da jaula. Se você não descobre o que o está prendendo, a vontade de sair logo se torna confusa e ineficaz.

– Sim, é essa a sensação que eu tive – disse eu, e Ismael assentiu. – Mas, outra vez, como isso está relacionado com salvar o mundo?

– O mundo não sobreviverá por muito tempo no cativeiro da humanidade. Isso precisa de explicação?

– Não. Pelo menos, não para mim.

– Acho que existem muitos entre vocês que gostariam de libertar o mundo do cativeiro.

– Concordo.

– O que os impede de fazê-lo?

– Não sei.

– Eis o que os impede: são incapazes de achar as barras da jaula.

– Sim, entendo – disse eu. – E o que faremos agora?

Ismael sorriu outra vez.

– Já que lhe contei uma história que explica como vim parar aqui, talvez você possa fazer o mesmo.

– O que quer dizer?

– Quero dizer que talvez você possa me contar uma história que explique como você veio parar aqui.

– Ah – disse eu. – Dê-me um momento.

– Quantos quiser – replicou ele gravemente.

7

– Uma vez, quando estava na faculdade – disse eu finalmente –, escrevi um trabalho para um curso de filosofia. Não lembro bem qual era o tema, mas estava relacionado com epistemologia. A ideia do trabalho, *grosso modo*, era a seguinte: os nazistas não perderam a guerra. Eles a ganharam e se expandiram. Tomaram conta do mundo e eliminaram todos os judeus, os ciganos, os negros e os índios orientais e americanos. Depois dessa etapa, eles acabaram com os russos, os poloneses, os boêmios, os morávios, os búlgaros, os sérvios e os croatas – todos os eslavos. Depois passaram para os polinésios, coreanos, chineses e japoneses – todos os povos da Ásia. Isso levou muito, muito tempo, mas, quando terminaram, todos no mundo eram cem por cento arianos e todos eram muito, muito felizes.

"Naturalmente, os livros usados nas escolas não mais mencionavam nenhuma raça exceto a ariana, nenhuma língua exceto a alemã, nenhuma religião exceto o hitlerismo, nenhum sistema político exceto o nacional-socialismo. Não havia necessidade. Após algumas gerações assim, ninguém poderia ter escrito nada de diferente nos livros mesmo que quisesse, porque ninguém mais *sabia* algo diferente.

"Mas um dia dois jovens estudantes conversavam na Universidade de Nova Heidelberg, em Tóquio. Ambos eram bonitos no modo habitual dos arianos, mas um deles parecia vagamente preocupado e infeliz. Era Kurt. Seu amigo perguntou:

"– O que há, Kurt? Por que está sempre com a cara fechada?

"Kurt respondeu:

"– Vou lhe dizer, Hans. Algo me preocupa profundamente.

"O amigo perguntou o quê.

"– É o seguinte – respondeu Kurt. – Não consigo me livrar dessa sensação maluca de que estão contando alguma *mentira* para nós.

"E assim terminou o trabalho."

Ismael assentiu pensativamente.

– E o que o seu professor achou?

– Ele quis saber se eu tinha a mesma sensação maluca de Kurt. Quando disse que tinha, ele quis saber que mentira eu achava que estavam contando para nós. Eu disse: "Como posso saber? Minha situação não é melhor que a de Kurt". É claro, ele não achou que eu falasse sério. Pensou que fosse apenas um exercício de epistemologia.

– E ainda imagina que estão lhe contando uma mentira?

– Sim, mas não com tanta insistência.

– Não? E por quê?

– Porque descobri que, na prática, não faz diferença nenhuma. Se contam uma mentira para nós ou não, ainda temos de acordar e ir para o trabalho e pagar as contas e todo o resto.

– A não ser, é claro, que *todos* comecem a desconfiar de que lhes contaram uma mentira e *todos* descubram que mentira é essa.

– Como assim?

– Se só você descobrisse qual é a mentira, então provavelmente teria razão: não faria grande diferença. Mas, se *todos* descobrissem qual é a mentira, podemos presumir que faria uma grande diferença.

– É verdade.

– Então, é essa a esperança que devemos ter.

Já ia lhe perguntar o que queria dizer com aquilo, mas ele levantou sua coriácea mão negra e disse-me: "Amanhã".

8

Naquela noite, saí para um passeio. Andar só por andar é algo que raramente faço. Mas senti uma ansiedade inexplicável dentro do meu apartamento. Precisava falar com alguém, tranquilizar-me. Ou talvez precisasse confessar meu pecado: mais uma vez estava tendo pensamentos impuros sobre a salvação do mundo. Ou não era nenhum desses motivos – tinha medo de estar sonhando. De fato, considerando os acontecimentos do dia, era plausível que eu estivesse sonhando.

Às vezes, voo alto em meus sonhos e digo a mim mesmo: "Finalmente está acontecendo de *verdade*, não é só um sonho".

Seja como for, eu precisava falar com alguém e estava sozinho. É minha condição habitual por opção – ou pelo menos é o que digo a mim mesmo. Meras camaradagens me deixam insatisfeito, e pouca gente está disposta a aceitar o peso e o risco da amizade como a concebo.

As pessoas me acham um misantropo mal-humorado e respondo que devem ter razão. Discussões de qualquer tipo, sobre qualquer assunto, sempre me pareceram perda de tempo.

Na manhã seguinte, acordei e pensei: "No entanto, *pode ter sido* um sonho. Pode-se dormir num sonho e ter sonhos dentro de um sonho". Enquanto mecanicamente preparava o café da manhã, comia e lavava a louça, meu coração batia furiosamente. Parecia dizer: "Como pode fingir que não está apavorado?"

O tempo passava. Fui de carro ao centro. O prédio continuava lá. A sala do fim do corredor do térreo continuava lá, destrancada.

Quando abri a porta, o odor forte e animal de Ismael atingiu-me em cheio. Com as pernas bambas, andei até a cadeira e me sentei.

Ele me examinou gravemente por trás do vidro escuro, como que imaginando se eu era forte o bastante para suportar conversas sérias. Quando se decidiu, começou sem preâmbulo algum, e depois descobri que esse era seu estilo habitual.

Dois

1

– Curiosamente – contou Ismael –, foi meu benfeitor quem despertou meu interesse pelo assunto do cativeiro, e não minha própria condição. Como posso ter mencionado na minha narrativa de ontem, ele era obcecado pelo que estava acontecendo na Alemanha nazista.

– Sim, foi o que presumi.

– Pela história de Kurt e Hans que me contou ontem, suponho que seja um estudioso da vida e dos costumes do povo alemão sob o regime de Adolf Hitler.

– Estudioso? Não, não diria tanto. Li alguns livros conhecidos: as memórias de Speer, *Ascensão* e *queda do III Reich* e outros semelhantes. Além de alguns estudos sobre Hitler.

– Nesse caso, deve entender o que o sr. Sokolow tentou me mostrar: que não só os judeus eram cativos de Hitler. Toda a nação germânica era cativa, incluindo seus entusiásticos adeptos. Alguns detestavam o que ele fazia, outros apenas iam levando como podiam e outros positivamente se beneficiavam do regime. Mas eram todos cativos.

– Acho que entendo o que quer dizer.

– O que os mantinha cativos?

– Bem... o terror, suponho.

Ismael meneou a cabeça.

– Deve ter visto filmes dos comícios de antes da guerra, com centenas de milhares de cativos cantando e bradando em uníssono. Não foi o terror que os levou àquelas festas de unidade e poder.

– É verdade. Então, eu diria que foi o carisma de Hitler.

– Ele certamente tinha carisma. Mas isso só atrai a atenção das pessoas. Depois de conquistar a atenção delas, é preciso ter algo a dizer. E o que Hitler tinha a dizer ao povo alemão?

Refleti sobre a pergunta por alguns momentos sem muita convicção.

– Além da questão dos judeus, não creio que possa responder à pergunta.

– Hitler tinha uma história a lhes contar.

– Uma história?

– Uma história segundo a qual a raça ariana (e o povo da Alemanha em particular) fora subtraída de seu lugar de direito no mundo, aprisionada, humilhada, violentada e jogada na lama sob as esporas das raças mestiças, dos comunistas e dos judeus. Uma história segundo a qual, sob a liderança de Adolf Hitler, a raça ariana romperia suas correntes, vingando-se de seus opressores, purificando a humanidade de suas desonras e assumindo seu lugar de direito como o senhor de todas as raças.

– Verdade.

– Hoje, pode lhe parecer inacreditável que um povo fosse cativado por tal tolice, mas, após quase duas décadas de degradação e sofrimento deixados pela Primeira Guerra Mundial, a história exerceu um apelo quase irresistível sobre o povo da Alemanha, e foi reforçada não apenas pelos meios corriqueiros da propaganda, mas por um intenso programa de educação dos jovens e de reeducação dos velhos.

– Verdade.

– Como eu disse, havia muitos alemães que percebiam que a história era mitologia barata. Mas foram cativados por ela simplesmente porque a ampla maioria que os cercava a achava maravilhosa e estava disposta a morrer para torná-la realidade. Entende o que quero dizer?

– Acho que sim. Mesmo que não fossem pessoalmente cativados pela história, ficavam cativos do mesmo jeito, porque as pessoas ao redor deles os *tornavam* cativos. Eram como animais sendo arrastados no meio do estouro de uma boiada.

– Correto. Mesmo que pensassem que tudo aquilo era loucura, precisavam desempenhar o papel, precisavam ocupar seu lugar na história. O único modo de evitar isso era escapar da Alemanha totalmente.

– Verdade.

– Entende por que estou lhe dizendo isso?

– Acho que sim, mas não estou certo.

– Estou lhe dizendo isso porque as pessoas de sua cultura estão em situação muito semelhante. Como as pessoas sob a Alemanha nazista, estão sob o poder de uma história.

Fiquei em silêncio por algum tempo.

– Não conheço essa história – disse-lhe afinal.

– Quer dizer que nunca a ouviu?

– Isso mesmo.

Ismael assentiu com um gesto de cabeça.

– Isso porque não há *necessidade* de ouvi-la. Não há necessidade de nomeá-la ou discuti-la. Todos vocês a sabem de cor quando chegam aos seis ou sete anos. Negros e brancos, homens e mulheres, ricos e pobres, cristãos e judeus, americanos e russos, noruegueses e chineses, todos vocês a ouvem. E a ouvem incessantemente, porque todo canal de propaganda, todo canal de educação a despeja incessantemente. E, por ouvi-la incessantemente, não a escutam. Não há *necessidade* de ouvi-la. Está sempre presente, murmurando ao fundo, de modo que não há necessidade de prestar-lhe atenção. Na verdade, descobre-se – ao menos no início – que é *difícil* prestar-lhe atenção. É como o rumor de um motor distante que nunca pára; torna-se um som que já não é ouvido.

– Isso é muito interessante – comentei. – Mas também é um pouco difícil de acreditar.

– Não há necessidade de acreditar. Depois que souber qual é essa história, irá ouvi-la por toda parte em sua cultura e ficará surpreso por as pessoas que o cercam não a ouvirem também, e sim apenas a absorverem.

2

– Ontem, você me disse que tem a *impressão* de ser um cativo. E isso porque sofre uma enorme pressão para ocupar um lugar, qualquer que seja, na história que sua cultura está encenando no mundo. Essa pressão é exercida de todas as maneiras, em todos os níveis, mas basicamente desta maneira: quem se recusar a ocupar um lugar na história não será alimentado.

– Sim, é verdade.

– Um alemão que se recusasse a ocupar um lugar na história de Hitler tinha uma opção: podia deixar a Alemanha. Você não tem essa opção. Aonde quer que vá no mundo, encontrará a mesma história sendo encenada e, se não ocupar um lugar nela, não será alimentado.

– É verdade.

– A Mãe Cultura ensina que é assim que deve ser. Com exceção de poucos milhares de selvagens espalhados aqui e ali, todos os povos da

Terra agora encenam essa história. É a história que o homem nasceu para encenar, e afastar-se dela é renunciar à própria raça humana, é se aventurar no nada. Seu lugar é *aqui*, participando dessa história, fazendo parte da engrenagem e, como recompensa, sendo alimentado. Não há "outra coisa". Sair dessa história é sair dos limites do mundo. Não há saída, a não ser a morte.

– Sim, é o que parece.

Ismael fez uma pausa para pensar.

– Tudo isso é apenas um prefácio ao nosso trabalho. Quis que o ouvisse para que tivesse ao menos uma vaga ideia do que o espera aqui. Uma vez que tenha aprendido a ouvir a voz da Mãe Cultura murmurando ao fundo, contando sua história vezes sem fim às pessoas de sua cultura, nunca deixará de estar consciente dela. Aonde quer que vá, até o final da vida sentirá a tentação de dizer aos que o rodeiam: "Como podem ficar ouvindo isso e não perceber do que se trata?" E, se fizer isso, vão olhá-lo com estranheza e imaginar de que raio está falando. Em outras palavras, se fizer essa jornada educacional comigo, ficará alienado das pessoas que o cercam: amigos, familiares, antigas relações, etc.

– Isso eu posso suportar – disse eu, e deixei por isso mesmo.

3

– Minha maior e mais inatingível fantasia é viajar pelo mundo como você faz, livremente e sem obstáculos. Sair para a rua, estender a mão para um táxi que me leve ao aeroporto, tomar um avião para Nova York, Londres ou Florença. Dedico boa parte dessa fantasia a imaginar os preparativos para a viagem, a refletir sobre o que deveria incluir na bagagem e o que poderia deixar de fora. (Entenda que, naturalmente, eu viajaria disfarçado de humano.) Levar coisas de mais e arrastá-las de um lugar para outro seria cansativo; por outro lado, levar de menos implicaria ter de interromper a viagem o tempo todo para apanhar coisas pelo caminho, e isso seria igualmente cansativo.

– É verdade – disse eu, só para ser agradável.

– É isso que faremos hoje: vamos preparar a mala para a viagem que faremos juntos. Vou colocar algumas coisas na mala para, depois, não ter que parar para procurá-las. Essas coisas pouco ou nada significarão para você agora. Apenas as mostrarei rapidamente e as guardarei na mala, para que as reconheça quando eu as retirar mais tarde.

– Está bem.

– Em primeiro lugar, o vocabulário. Vamos escolher alguns nomes, para que não precisemos mais falar das "pessoas de sua cultura" e das "pessoas de outras culturas". Usei vários nomes com vários alunos, mas vou experimentar um novo par com você. Deve estar habituado à expressão "É pegar ou largar". Usadas nesse sentido, as palavras *pegadores* e *largadores* têm alguma conotação forte para você?

– Não sei se entendi.

– Quero dizer que, se chamar um grupo de *Pegadores* e o outro de *Largadores*, vai parecer que estou sugerindo que há mocinhos e vilões?

– Não. Parecem-me termos neutros.

– Ótimo. Então, daqui por diante chamarei as pessoas de sua cultura de Pegadores e as pessoas de todas as outras culturas de Largadores.

– Hum... tem um problema.

– Fale.

– Não sei como pode agrupar todas as pessoas do mundo nessas categorias.

– É assim que vocês fazem em sua cultura, com a diferença de que usam um par de termos fortemente carregados em vez desses relativamente neutros. Vocês se chamam de *civilizados* e chamam todo o resto de *primitivos*. Estão em acordo universal quanto a isso; quero dizer que os povos de Londres, Paris, Bagdá, Seul, Detroit, Buenos Aires e Toronto sabem disso. A despeito de tudo o que os separa, estão unidos em ser *civilizados* e diferentes dos poucos da Idade da Pedra espalhados pelo mundo todo; consideram e reconhecem que, a despeito de suas diferenças, os povos da Idade da Pedra estão igualmente unidos em ser *primitivos*.

– Sim, é isso mesmo.

– Você ficaria mais à vontade se usássemos os termos *civilizados* e *primitivos*?

– Acho que sim, mas é porque estou mais acostumado com eles. Podemos usar Pegadores e Largadores.

4

– Em segundo lugar, o mapa. Está comigo, você não precisa memorizar a rota. Em outras palavras, não se preocupe se, no final de um dia desses, você de repente perceber que não se lembra de uma palavra que eu disse. Não importa, pois é a viagem em si que irá transformá-lo. Entende o que estou dizendo?

– Mais ou menos.

Ismael pensou por um momento.

– Vou lhe dar uma ideia geral de para onde estamos indo, e então entenderá.

– Está bem.

– A Mãe Cultura, cuja voz fala em seus ouvidos desde o dia em que nasceu, deu-lhe uma explicação de *como as coisas vieram a ser como são.* Você a conhece bem; todos de sua cultura a conhecem bem. Mas essa explicação não lhe foi dada toda de uma vez. Ninguém nunca chegou para você e disse: "Eis como as coisas vieram a ser como são, desde dez ou quinze bilhões de anos atrás até o presente". Em vez disso, você reuniu essa explicação como se fosse um mosaico: a partir de um milhão de informações apresentadas de várias maneiras por outros que compartilham dessa explicação. Montou-a a partir da conversa à mesa com seus pais, de desenhos a que assistiu na televisão, de lições da escola dominical, de seus livros escolares e de seus professores, de telejornais, de filmes, romances, sermões, peças, jornais e todo o resto. Está me acompanhando?

– Acho que sim.

– Essa explicação de *como as coisas vieram a ser como são* é ubíqua em sua cultura. Todos a conhecem e todos a aceitam sem questionar.

– Certo.

– Ao longo dessa nossa viagem, reexaminaremos peças centrais desse mosaico. Vamos retirá-las e encaixá-las noutro mosaico completamente diferente, numa explicação completamente diferente de *como as coisas vieram a ser como são.*

– Certo.

– E, quando terminarmos, terá uma compreensão totalmente nova do mundo e de tudo o que aconteceu aqui. E não fará a menor diferença que se lembre de como tal compreensão foi montada. A viagem em si irá transformá-lo; portanto, não se preocupe em memorizar a rota que tomaremos para realizar essa mudança.

– Certo. Agora entendo o que está dizendo.

5

– Em terceiro lugar, as definições – disse ele. – São palavras que terão um sentido especial em nosso discurso. Primeira definição: *história*. Uma história é um roteiro que inter-relaciona o homem, o mundo e os deuses.

– De acordo.

– Segunda definição: *encenar*. Encenar uma história é viver de modo a torná-la realidade. Em outras palavras, encenar uma história é esforçar-se para torná-la verdade. Você reconhece que é isso que o povo alemão fazia sob o domínio de Hitler. Tentavam tornar o Reich do Milésimo Ano uma realidade. Tentavam tornar a história que Hitler contava uma realidade.

– Certo.

– Terceira definição: *cultura*. A cultura de um povo é sua encenação de uma história.

– Sua encenação de uma história... E disse que uma história é...

– Um roteiro que inter-relaciona o homem, o mundo e os deuses.

– Muito bem. Então, está dizendo que as pessoas da minha cultura estão encenando sua própria história sobre o homem, o mundo e os deuses.

– Isso mesmo.

– Mas ainda não sei que história é essa.

– Vai saber. Não seja impaciente. No momento, tudo o que precisa saber é que duas histórias fundamentalmente diferentes têm sido encenadas durante a existência do homem. Uma começou a ser encenada há cerca de dois ou três milhões de anos pelo povo que concordamos em chamar de Largadores, e ainda é encenada por eles hoje em dia, com o mesmo sucesso de sempre. A outra começou a ser encenada há cerca de dez ou doze mil anos pelo povo que concordamos em chamar de Pegadores, e parece estar prestes a terminar em catástrofe.

— Ah! — exclamei, sem saber o que queria dizer com isso.

6

— Se a Mãe Cultura apresentasse uma descrição da história humana nesses termos, diria algo assim: "Os Largadores foram o primeiro capítulo da história humana, um capítulo longo e vazio de eventos. Esse capítulo da história humana terminou há cerca de dez mil anos, com o surgimento da agricultura no Oriente Médio. Foi o evento que marcou o início do segundo capítulo, o dos Pegadores. É verdade que ainda há Largadores vivendo no mundo, mas são fósseis, anacronismos: povos que vivem no passado, povos que ainda não entenderam que seu capítulo na história humana acabou".

— Certo.

— É dessa maneira que sua cultura percebe a história humana de modo geral.

— Diria que sim.

— Como irá entender, o que afirmo é bem diferente. Os Largadores não são o primeiro capítulo de uma história em que os Pegadores são o segundo capítulo.

— Pode repetir?

— Direi de outro modo. Os Largadores e os Pegadores estão encenando duas histórias separadas, baseadas em premissas totalmente diferentes e contraditórias. Falaremos disso mais tarde; portanto, não precisa entender neste instante.

— Está bem.

7

Ismael coçou a mandíbula pensativamente. Estando do outro lado do vidro, eu não ouvia nada, mas imaginava que o ruído fosse como o de uma pá sendo arrastada pelo cascalho.

– Acho que a nossa mala está arrumada. Como já disse, não espero que se lembre de tudo o que guardei dentro dela hoje. Quando for embora, provavelmente se tornará uma bagunça em sua cabeça.

– Acredito – disse eu com convicção.

– Mas tudo bem. Se amanhã eu tirar da mala algum item que coloquei nela hoje, irá reconhecê-lo instantaneamente, e é o que importa.

– Certo, fico contente em saber.

– A sessão de hoje será curta. A viagem em si começa amanhã. Enquanto isso, pode passar o resto do dia tentando descobrir a história que as pessoas de sua cultura têm encenado no mundo nos últimos dez mil anos. Lembra-se de que ela trata?

– De quê?

– Do sentido do mundo, das intenções divinas no mundo e do destino humano.

– Bem, posso lhe contar *histórias* sobre essas coisas, mas não conheço *uma só* história.

– É a única história que todos de sua cultura conhecem e aceitam.

– Acho que isso não ajuda muito.

– Talvez ajude se eu lhe disser que é uma história *explicativa*, do tipo "Como o elefante ganhou sua tromba" ou "Como o leopardo ganhou suas pintas".

– Está bem.

– E o que imagina que a história de vocês explica?

– Por Deus, não faço a menor ideia.

– Já deveria saber, pelo que lhe disse. Explica *como as coisas vieram a ser como são*. Desde o início até hoje.

– Entendo – disse eu, e olhei pela janela por alguns instantes. – Certamente, não tenho consciência de conhecer uma história assim. Como eu disse, *histórias* eu conheço, mas nada que se pareça com uma *única* história.

Ismael refletiu um pouco.

– Uma aluna, dentre os que mencionei ontem, sentiu-se na obrigação de me explicar o que procurava. Perguntou-me: "Por que ninguém se alarma? Ouço as pessoas falarem sobre o fim do mundo na lavanderia, e parecem tão alarmadas como se estivessem comparando marcas de detergentes. Falam da destruição da camada de ozônio e da destruição total da vida. Falam da devastação das florestas tropicais, da poluição mortal que durará milhares e milhares de anos, da extinção de dezenas de espécies todos os dias; do fim da própria noção de espécie. E parecem completamente calmas".

— Eu lhe disse: "É isso que deseja saber, então: por que as pessoas não se alarmam com a destruição do mundo?" Ela pensou um pouco e respondeu: "Não, eu sei por que não se alarmam. Não se alarmam porque acreditam no que lhes contaram".

— O quê? – perguntei.

— O que contaram às pessoas que as impede de se alarmarem, que as mantém relativamente calmas enquanto assistem aos danos catastróficos que estão infligindo ao planeta?

— Não sei.

— Contaram-lhes uma história explicativa. Receberam uma explicação de *como as coisas vieram a ser como são*, e isso silenciou seus temores. Essa explicação abrange tudo, até mesmo a deterioração da camada de ozônio, a poluição dos oceanos, a destruição das florestas tropicais e ainda a extinção humana. E isso as satisfaz. Ou talvez seja mais correto dizer que as *apazigua*. Participam da engrenagem durante o dia, narcotizam-se com drogas ou com televisão à noite e tentam não pensar com muita seriedade no assunto que estão deixando para seus filhos enfrentarem.

— Certo.

— Você também recebeu a explicação de *como as coisas vieram a ser como são*, assim como todo mundo, mas parece que não o satisfaz. Ouviu-a desde a infância, mas nunca conseguiu engoli-la. Tem a sensação de que deixaram algo de fora, de que algo foi encoberto. Tem a sensação de que lhe contaram uma mentira e, se possível, gostaria de saber qual é. E é por isso que está nesta sala.

— Deixe-me pensar um pouco. Está dizendo que essa história explicativa contém as mentiras de que falei no meu trabalho sobre Kurt e Hans?

— É isso mesmo. Exatamente.

– Estou confuso. Não sei de história nenhuma. Não sei de *uma única* história.

– É uma história única, perfeitamente unificada. Basta pensar mitologicamente.

– Como assim?

– Estou falando da mitologia de sua cultura, é claro! Pensei que fosse óbvio.

– Não para mim.

– Qualquer história que explique o sentido do mundo, as intenções dos deuses e o destino do homem só pode ser mitologia.

– Talvez, mas não conheço nada remotamente parecido com isso. Até onde sei, não há em nossa cultura algo que possa ser chamado de mitologia, a não ser que esteja falando de mitologia grega, nórdica ou algo assim.

– Estou falando de mitologia *viva*. Não está registrada em nenhum livro, e sim na mente das pessoas de sua cultura. Está sendo encenada em todas as partes do mundo neste exato instante.

– Repito: até onde eu saiba, não há nada parecido em nossa cultura.

Ismael franziu a testa escura e me lançou um olhar divertido e exasperado.

– Isso porque acha que mitologia é um conjunto de fábulas fantásticas. Os gregos não viam sua mitologia assim. É claro que você deve perceber isso. Se chegasse para um homem da Grécia homérica e lhe perguntasse que fábulas fantásticas ele contava aos filhos sobre os deuses e os heróis do passado, ele não saberia do que você estava falando. Responderia o mesmo que você: "Até onde eu saiba, não há nada parecido em nossa cultura". Um nórdico teria dito o mesmo.

– Está bem, mas isso não ajuda muito.

– Certo, vamos reduzir a tarefa a uma proporção mais modesta. Essa história, como todas as histórias, tem começo, meio e fim. E cada uma dessas partes é uma história em si. Antes de nos encontrarmos amanhã, veja se consegue descobrir o começo da história.

– O começo da história?

– Sim. Pense... antropologicamente.

Comecei a rir.

– Como assim?

– Se você fosse um antropólogo interessado na história encenada pelos aborígines Alawa da Austrália, esperaria ouvir uma história com começo, meio e fim.

– Certo.

– E como esperaria ser o começo da história?

– Não faço ideia.

– Claro que faz. Está se fazendo de burro.

Fiquei quieto, imaginando como parar de me fazer de burro.

– Muito bem – disse eu afinal. – Acho que esperaria que fosse sobre o mito da criação.

– É claro.

– Mas não vejo como isso pode me ajudar.

– Então, direi com todas as letras. Irá descobrir o mito da criação de sua própria cultura.

Encarei-o, indignado.

– Não *temos* um mito da criação – disse eu. – Com certeza.

TRÊS

1

– O que é isto? – perguntei ao chegar, na manhã seguinte. Referia-me a um objeto acomodado sobre o braço da minha cadeira.

– O que parece ser?

– Um gravador.

– É exatamente o que é.

– Sim, mas para quê?

– Para gravar para a posteridade as curiosas lendas populares de uma cultura condenada que você me contará.

Comecei a rir e me sentei.

– Sinto dizer que ainda não encontrei nenhuma lenda curiosa para lhe contar.

– Minha sugestão de que procurasse o mito da criação não rendeu frutos?

– Não temos mito da criação – repeti. – A não ser que esteja se referindo ao Gênese.

– Não seja ridículo. Se um professor de oitava série o convidasse a explicar como tudo começou, leria para a classe o primeiro capítulo do Gênese?

– Claro que não.

– Então, que explicação lhes *daria*?

– Poderia dar-lhes uma explicação, mas certamente não seria um *mito*.

– Naturalmente, você não a consideraria um mito. Nenhuma história da criação é um mito para as pessoas que a contam. É apenas *a história*.

– Concordo, mas a história de que falo certamente não é um mito. Partes dela ainda estão em discussão, suponho, e suponho que pesquisas futuras possam fazer algumas revisões, mas certamente não é um mito.

– Ligue o gravador e comece. Então, saberemos.

Olhei-o com reprovação.

– Quer realmente que eu...

– Conte a história, isso mesmo.

– Não consigo desfiá-la assim. Preciso de tempo para organizá-la.

– Há tempo de sobra. A fita tem noventa minutos.

Suspirei, liguei o gravador e fechei os olhos.

2

– Tudo começou há muito tempo, há dez ou quinze bilhões de anos – principiei, minutos depois. – Não estou atualizado sobre qual teoria está dominando, se é a do estado fixo ou a do *big-bang*, mas em ambos os casos o universo começou há muito tempo.

Nesse ponto, lancei um olhar interrogativo a Ismael. Ele me retribuiu o olhar e perguntou:

– É isso? É essa a história?

– Não, só estava confirmando. – Fechei os olhos e recomecei. – Então, acho que há seis ou sete bilhões de anos, nosso sistema solar se formou... Tenho uma imagem na cabeça, tirada de alguma enciclopédia infantil, de bolas de matéria se espalhando, ou se aglutinando. Eram os planetas que, ao longo de bilhões de anos, foram se resfriando e se solidificando. Deixe-me ver... A vida apareceu no caldo químico de nossos antigos oceanos há cerca de... Há quantos anos, cinco bilhões?

– Três bilhões e meio ou quatro.

– Certo. As bactérias e os micro-organismos evoluíram até formas superiores, mas complexas, que por sua vez evoluíram para formas ainda mais complexas. A vida aos poucos se estendeu até a terra. Não sei... houve o limo nas margens dos oceanos, os anfíbios... Os anfíbios ocuparam a terra, evoluíram e tornaram-se répteis. Os répteis evoluíram e tornaram-se mamíferos. Isso há quanto tempo? Um bilhão de anos?

– Apenas há um quarto de bilhão de anos.

– Certo. Muito bem, os mamíferos... Não sei bem, mas deviam ser criaturinhas em pequenos nichos, sob arbustos, nas árvores... Dessas criaturas nas árvores vieram os primatas. Depois, não sei, talvez há dez ou quinze milhões de anos, um ramo dos primatas deixou as árvores... – Parei, sem combustível.

– Isso não é um teste – disse Ismael. – As linhas gerais bastam. Quero apenas a história como é ordinariamente conhecida, por motoristas de ônibus, peões de fazenda e senadores.

– Está bem – disse eu, e voltei a fechar os olhos. – Uma coisa levou a outra. Surgiu uma espécie após outra e, finalmente, o homem apareceu. Quando foi isso? Há três milhões de anos?

– É uma estimativa segura.

– Certo.

– É isso? – inquiriu Ismael.

– Em linhas gerais.

– É a historia da criação como é contada em sua cultura.

– Isso mesmo. Até onde sei.

Ismael fez um gesto afirmativo com a cabeça e disse-me para desligar o gravador. Depois, recostou-se com um suspiro que ribombou pelo vidro como um vulcão distante, cruzou as mãos sobre a barriga e lançou-me um olhar longo e inescrutável.

– E você, uma pessoa inteligente e moderadamente culta, quer que eu acredite que isso não é um mito?

– Onde está vendo mitologia nessa história?

– Não estou vendo mitologia *nessa* história: ela própria é um mito.

Acho que dei uma risada nervosa.

– Talvez eu não saiba qual é seu conceito de mito.

– O mesmo que o seu. Volte a fita e ouça a história.

Depois de ouvi-la, fingi estar pensativo para manter as aparências. Depois disse:

– Não é um mito. Se fosse um texto científico para a oitava série, creio que nenhuma escola objetaria. Com a exceção dos criacionistas.

– Concordo plenamente. Não disse que a história é ubíqua em sua cultura? As crianças a absorvem por muitos canais, incluindo textos escolares sobre ciência.

– Está sugerindo que não é uma explicação factual?

– Está cheia de fatos, é claro, mas sua imaginação é puramente mítica.

– Não sei do que está falando.

– É óbvio que desligou sua mente. A cantiga da Mãe Cultura o fez dormir.

Olhei para ele, sério.

– Está dizendo que a evolução é um mito?

– Não.

– Está dizendo que o homem não evoluiu?

– Não.

– Então, o que está dizendo?

Ismael olhou-me com um sorriso, encolheu os ombros e levantou as sobrancelhas.

Olhei para ele e pensei: "Um gorila está se divertindo às minhas custas". Não ajudou.

– Ouça de novo – disse ele.

Ouvi até o fim e disse:

– Certo, deve ser a palavra "apareceu". Disse que finalmente o homem "apareceu". É isso?

– Não, não é nada disso. Não estou implicando com uma palavra. Ficou claro pelo contexto que a palavra "apareceu" é apenas um sinônimo para "evoluiu".

– Então, que raio está dizendo?

– Vejo que não está mesmo pensando. Recitou uma história que ouviu milhares de vezes e agora ouve a Mãe Cultura murmurar ao seu ouvido: "Pronto, meu filho, não há nada em que pensar, nada com que se preocupar, não fique agitado, não dê ouvidos a esse animal malvado, não é um mito, nada do que lhe digo é mito, então não há em que pensar, nada com que se preocupar, apenas ouça minha voz e durma, durma, durma..."

Fiquei mordendo o lábio por algum tempo, depois disse:

– Não ajudou.

– Está bem – disse ele. – Vou contar uma história minha, e isso talvez ajude.

Mordiscou um ramo folhudo, fechou os olhos e começou.

3

Essa história (continuou Ismael) aconteceu há meio bilhão de anos – uma época inconcebivelmente distante, quando este planeta teria sido totalmente irreconhecível para você. Nada se mexia sobre a terra, a não ser o vento e a poeira. Nenhuma folha balançava ao vento, nenhum grilo saltava, nenhum pássaro planava no céu. Tais seres ainda esperariam dezenas de milhões de anos para nascer. Até mesmo os mares eram sinistramente imóveis e silenciosos, pois os vertebrados também esperariam milhões de anos para nascer.

Mas é claro que havia um antropólogo de plantão. Que seria do mundo sem os antropólogos? Mas esse antropólogo estava muito deprimido e desiludido, pois havia percorrido todo o planeta procurando alguém para entrevistar e as fitas que carregava na mochila continuavam vazias como o céu. Mas um dia, enquanto andava desanimado à beira do oceano, pensou ter visto uma criatura viva nas águas rasas próximas à margem. Não era lá grande coisa, apenas uma espécie de bolha, uma água-viva. Mas, como era a única perspectiva que encontrara em todas as suas viagens, avançou pela água rasa até onde a criatura balançava ao sabor das ondas.

Trocaram saudações cordiais e logo já eram bons amigos. O antropólogo explicou como pôde que estudava estilos de vida e costumes, solicitou tais informações de seu novo amigo e foi prontamente atendido.

– E agora – concluiu o antropólogo – gostaria de gravar, em suas próprias palavras, algumas histórias que contam entre vocês.

– Histórias? – estranhou a bolha.

– Sim, como o mito da criação, se é que o têm.

– O que é o mito da criação?

– Ah, você sabe – respondeu o antropólogo. – As lendas fantásticas que contam a seus filhos sobre a origem do mundo.

Ao ouvir isso, a criatura se empertigou com indignação – ou pelo menos do modo que uma bolha inchada consegue fazê-lo – e respondeu que seu povo não tinha lenda fantástica nenhuma.

– Quer dizer que não explicam a criação?

– Certamente que explicamos a criação – declarou a bolha. – Mas seguramente não é um *mito*.

– Não, com certeza não – concordou o antropólogo, finalmente se lembrando de seu treinamento. – Ficaria imensamente grato em ouvir essa explicação.

– Muito bem – admitiu a criatura. – Mas quero que entenda que, como você, somos um povo estritamente racional e não aceitamos nada que não se baseie em observação, lógica e método científico.

– Claro, claro – tornou a concordar o antropólogo.

A criatura enfim começou seu relato.

– O universo surgiu há muitos e muitos anos, talvez há dez ou quinze bilhões de anos. Nosso sistema solar (esse astro, este planeta e todos os outros) veio a existir há cerca de dois ou três bilhões de anos. Durante muito tempo, não houve nenhuma forma de vida aqui. Mas então, depois de um bilhão de anos, surgiu a vida.

– Perdão – interrompeu o antropólogo. – Disse que a vida surgiu. Onde isso aconteceu, segundo seu mito... quero dizer, segundo sua explicação científica?

Aturdida com a pergunta, a criatura empalideceu.

– Quer dizer, em que local específico?

– Não, quero saber se aconteceu na terra ou no mar.

– Terra? – estranhou a bolha. – O que é isso?

– Você sabe – disse o antropólogo, apontando em direção à margem. – A extensão de terra e pedras que começa ali.

A criatura ficou mais pálida ainda e retrucou:

– Não faço ideia de que tolice está falando. A terra e as rochas que estão ali são apenas a borda da imensa bacia que contém o oceano.

– Sim, entendo o que está dizendo – disse o antropólogo. – Perfeitamente. Continue.

– Muito bem. Durante milhões de séculos, os únicos seres que existiam no mundo eram micro-organismos flutuando ao léu num caldo químico. Mas, aos poucos, formas mais complexas apareceram: criaturas unicelulares, fungos, algas, pólipos e assim por diante. Mas, finalmente... – disse a criatura, corando de orgulho ao chegar ao ápice da narrativa. – Mas, finalmente, a *água-viva apareceu*.

4

Não emiti nada durante noventa segundos, a não ser ondas de uma raiva reprimida. Depois disse:

– Não é justo.

– Como assim? O que quer dizer?

– Não sei exatamente o que quero dizer. Deu-me um tipo de lição, mas não sei bem qual foi.

– Não sabe?

– Não.

– O que a água-viva quis dizer quando proclamou: "Mas, finalmente, a água-viva apareceu"?

– Quis dizer... que tudo caminhava nessa direção. Era para isso que caminhavam todos os dez ou quinze bilhões de anos da criação: a água-viva.

– Concordo. E por que a *sua* explicação da criação não terminou com o aparecimento da água-viva?

Acho que dei uma risada nervosa.

– Porque havia mais por vir depois da água-viva.

– Correto. A criação não terminou com a água-viva. Ainda viriam os vertebrados, os anfíbios, os répteis, os mamíferos e, por fim, evidentemente, o homem.

– Certo.

– Logo, sua explicação da criação termina assim: "E finalmente o homem apareceu".

– Sim.

– O que significa...

– Que nada mais havia por vir. Que a criação chegara ao fim.

– Era para isso tudo que caminhava.

– Sim.

– É claro. E todos em sua cultura sabem disso. O auge foi alcançado pelo homem. O homem é o clímax de todo o drama cósmico da criação.

– Sim.

– Quando o homem finalmente apareceu, a criação chegou ao fim porque seu objetivo fora alcançado. Nada restava a criar.

– Parece ser a suposição implícita.

– Nem sempre é só implícita. As religiões de sua cultura não são reticentes quanto a isso. O homem é o produto final da criação. O homem é a criatura para quem todo o resto foi criado: este mundo, este sistema solar, esta galáxia, o próprio universo.

– É verdade.

– Todos da sua cultura sabem que o mundo não foi criado para a água-viva, para o salmão, para os iguanas ou para os gorilas. Foi criado para o homem.

– Isso mesmo.

Ismael me lançou um olhar sarcástico.

– E isso não é mitologia?

– Bom... fatos são fatos.

– Certamente. Fatos são fatos, mesmo quando na forma de mitologia. Mas e quanto ao resto? Todo o processo cósmico da criação chegou ao fim há três milhões de anos, bem aqui neste pequeno planeta, com o aparecimento do homem?

– Não.

– E o processo planetário de criação chegou ao fim há três milhões de anos com o aparecimento do homem? A evolução chegou a um final brusco só porque o homem apareceu?

– Não, claro que não.

– Então, por que me contou essa história?

– Acho que lhe contei essa história porque é contada assim.

– É contada assim entre os Pegadores. Certamente não é a única que pode ser contada.

– Entendo. E como você a contaria?

Ele meneou a cabeça para a janela e para o mundo por trás dela.

– Consegue ver a menor evidência que seja, em qualquer lugar do universo, de que a criação chegou ao fim com o surgimento do homem? Consegue ver a menor evidência por aí de que o homem tenha sido o clímax que a criação se esforçou por alcançar desde o início?

– Não. Nem sequer imagino qual seria o aspecto de tal evidência.

– Isso deveria ser óbvio. Se os astrofísicos chegassem à conclusão de que o processo criativo fundamental do universo terminou há cinco bilhões de anos, quando nosso sistema solar apareceu, isso ao menos ofereceria alguma base para essas noções.

– Sim, entendo o que está dizendo.

– Ou, se os biólogos e paleontólogos pudessem provar que o surgimento das espécies terminou há três milhões de anos, isso também seria sugestivo.

– Sim.

– Mas sabe que nada disso aconteceu de fato. Pelo contrário. O universo continuou como antes, o planeta continuou como antes. O aparecimento do homem não causou mais comoção do que o da água-viva.

– É verdade.

Ismael fez um gesto em direção ao gravador.

– Então, o que devemos achar da história que me contou?

Sorri, meio contrafeito.

– É um mito. Por incrível que pareça, é um mito.

– Disse-lhe ontem que a história que as pessoas de sua cultura estão encenando é sobre o sentido do mundo, sobre intenções divinas e sobre o destino humano.

– Sim.

– E, segundo a primeira parte da história, qual é o sentido do mundo?

Pensei por um momento.

– Não vejo como essa parte explica o sentido do mundo.

– Lá pela metade de sua história, o foco é transferido do universo como um todo para este planeta. Por quê?

– Porque este planeta estava destinado a ser o berço do homem.

– É claro. Segundo sua história, o nascimento do homem foi um evento central; na verdade, foi *o* evento central na história do próprio cosmo.

Desde o surgimento do homem, o resto do universo deixou de ter interesse, deixou de participar no desenrolar da trama. Por isso, somente a Terra é suficiente, é o berço e o lar do homem, essa é a sua finalidade. Os Pegadores veem o mundo como um tipo de sistema de conservação humana, uma máquina criada para produzir e sustentar a vida humana.

– Sim, é verdade.

– Ao contar a história, você naturalmente deixou de fora toda menção aos deuses, para não contaminá-la com mitologia. Agora que estabelecemos seu caráter mitológico, esqueça essa preocupação. Supondo que exista uma agência divina por trás da criação, o que pode me dizer sobre as intenções dos deuses?

– Bem, basicamente o que tinham em mente, ao começarem, era o homem – considerei. – Fizeram o universo de modo que contivesse nossa galáxia. Fizeram nossa galáxia de modo que contivesse nosso sistema solar. Fizeram nosso sistema solar de modo que contivesse nosso planeta. E fizeram nosso planeta de modo que nos contivesse. Tudo foi feito de modo que o homem tivesse um pedaço de terra onde pisar.

– Essa é a noção geral em sua cultura; ao menos, para aqueles que supõem que o universo seja uma expressão das intenções divinas.

– Sim.

– Obviamente, se todo o universo foi criado para que o homem fosse criado, este deve ser uma criatura de enorme importância para os deuses. Mas essa parte da história não dá nenhuma indicação das intenções divinas para com ele. Devem ter lhe reservado algum destino especial, mas que não é revelado nessa primeira parte.

– É verdade.

– Toda história baseia-se numa premissa: é a *elaboração* de uma premissa. Como escritor, deve saber disso.

– Sim.

– Reconhecerá esta: "Os filhos de famílias rivais se apaixonam".

– Sim, é *Romeu e Julieta*.

– A história encenada no mundo pelos Pegadores também tem uma premissa, contida na parte da história que me contou ontem. Veja se descobre qual é.

Fechei os olhos e fingi que me esforçava para descobri-la, quando, na verdade, não tinha a menor chance de encontrar a resposta.

– Não estou identificando.

– A história que os Largadores encenaram no mundo tem uma premissa inteiramente diferente, e seria impossível que você a descobrisse neste ponto. Mas deveria ser capaz de descobrir a premissa de sua própria história. É uma noção muito simples, a mais poderosa de toda a história humana. Não é necessariamente a mais benéfica, mas certamente a mais poderosa. Toda a sua história, com todas as suas maravilhas e catástrofes, é uma elaboração dessa premissa.

– Sinceramente, nem imagino aonde quer chegar.

– Pense... Olhe, o mundo não foi feito para a água-viva, foi?

– Não.

– Foi feito para os sapos, lagartos ou coelhos?

– Não.

– Claro que não. O mundo foi feito para o homem.

– Isso mesmo.

– Todos de sua cultura sabem disso, não é? Mesmo os ateus, que juram não haver deuses, sabem que o mundo foi feito para o homem.

– Diria que sim.

– Muito bem, essa é a premissa de sua história: "O mundo foi feito para o homem".

– Não consigo entender por que isso é uma premissa.

– As pessoas de sua cultura *fizeram* disso uma premissa, *entenderam* como uma premissa. Disseram: "E *se* o mundo foi feito para *nós*?"

– Certo, continue.

– Pense nas consequências de ter isso como premissa. Se o mundo foi feito para vocês, *então*...

– Certo, estou entendendo. Se o mundo foi feito para nós, então ele *pertence* a nós, e podemos fazer dele o que bem quisermos.

– Exato. É o que tem acontecido durante os últimos dez mil anos. Vocês têm feito o que bem entendem com o mundo. E é claro que pretendem continuar fazendo o que bem entendem dele, já que *pertence* a vocês.

– Sim – disse eu, e pensei um pouco. – É realmente impressionante. Quero dizer, ouvimos isso cinquenta vezes por dia. As pessoas falam de *nosso* ambiente, de *nossos* mares, de *nosso* sistema solar. Já ouvi gente falando até de *nossa vida selvagem*.

– E ontem mesmo você me garantiu, com absoluta certeza, que não havia nada em sua cultura que de longe se parecesse com uma mitologia.

– É verdade – disse eu, mas Ismael continuou a me olhar de modo taciturno. – Estava enganado. O que mais você quer?

– Perplexidade – disse ele.

Fiz um gesto afirmativo com a cabeça.

– Estou perplexo, sim, mas não demonstro.

– Queria ter pegado você quando tinha dezessete anos.

Encolhi os ombros, dando a entender que eu também queria.

7

– Ontem, disse-lhe que sua história fornece-lhes uma explicação *de como as coisas vieram a ser como são*.

– Certo.

– Qual a contribuição da primeira parte da história para a explicação?

– Você quer dizer... qual a contribuição dessa parte para a explicação de como as coisas vieram a ser como são agora?

– Isso mesmo.

– À primeira vista, não vejo contribuição *alguma*.

– Pense. As coisas teriam vindo a ser como são se o mundo tivesse sido feito para a água-viva?

– Não, não teriam.

– É óbvio que não. Se o mundo tivesse sido feito para a água-viva, as coisas seriam totalmente diferentes.

– Isso mesmo. Mas não foi feito para a água-viva, foi feito para o homem.

– E isso em parte explica *como as coisas vieram a ser como são.*

– Entendi. É um truque para culpar os deuses por tudo. Se tivessem feito o mundo para a água-viva, nada disso teria acontecido.

– Exato – disse Ismael. – Está começando a pegar a ideia.

8

– Tem noção agora de onde pode encontrar as outras partes da história: a do meio e a final?

Refleti um pouco.

– Acho que eu assistiria à *Nova**.

– Por quê?

– Diria que, se a *Nova* estivesse apresentando a história da Criação, a história que contei hoje seria o esboço. Tudo o que preciso fazer agora é imaginar como apresentariam o resto.

– Então, é a sua próxima tarefa. Amanhã, quero ouvir o meio da história.

---

*   Programa de televisão norte-americano sobre ciência, transmitido desde 1974 pela WGBH-TV, da WGBH Educational Foundation. (N. do E.)

QUATRO

1

– Certo – disse eu. – Acho que estou com o meio e o final da história na ponta da língua.

Ismael fez um gesto afirmativo com a cabeça e eu liguei o gravador.

– Decidi partir da seguinte premissa: o mundo foi feito para o homem. Então, me perguntei como escreveria a história para *Nova*. O resultado foi o seguinte:

"O mundo foi feito para o homem, mas ele demorou muito tempo para compreender isso. Durante quase três milhões de anos, viveu como se o mundo tivesse sido feito para a água-viva. Ou seja, ele viveu como se fosse apenas mais uma criatura, como se fosse um leão ou um vombate."

– O que, exatamente, significa viver como um leão ou um vombate?

– Significa... viver à mercê do mundo. Significa viver sem exercer nenhum controle sobre o ambiente.

– Entendo. Continue.

– Certo. Nessa condição, o homem não poderia ser realmente homem. Não poderia desenvolver um modo de vida verdadeiramente, distintamente humano. Então, durante o primeiro período de sua vida (na verdade, o maior período), o homem foi apenas levando, sem chegar a parte nenhuma e sem fazer nada.

"Acontece que havia um problema central para ser resolvido, e foi o que demorei mais para descobrir: que problema era esse. O homem não podia chegar a parte nenhuma como um leão ou um vombate porque, sendo um leão ou um vombate... Para realizar alguma coisa, o homem precisava se estabelecer em algum lugar onde pudesse trabalhar, digamos. Quero dizer, era impossível para ele ir além de um certo ponto vivendo a céu aberto como caçador-coletor, sempre indo de um lugar a outro em busca de alimento. Para avançar além desse ponto, ele precisava se estabelecer em algum lugar, ter uma base permanente onde pudesse começar a dominar o ambiente.

"Certo, por que não? Quero dizer, o que o impedia de fazer isso? O que o impedia era o fato de que, se ficasse parado em algum lugar por mais do que poucas semanas, morreria de fome. Como caçador-coletor, ele simplesmente esgotaria o lugar, não sobraria nada para caçar ou colher. Para poder se estabelecer, o homem precisava aprender uma manipulação fundamental. Precisava aprender a manipular seu ambiente de modo que o alimento não se esgotasse, de modo que produzisse *mais alimento para ele*. Em outras palavras, precisava se tornar agricultor.

"Esse foi o ponto de virada. O mundo fora feito para o homem, mas ele não podia tomar posse até que esse problema fosse eliminado. E finalmente o eliminou há cerca de dez mil anos, lá no delta do Nilo. Foi um grande momento, o maior da história humana até agora. O homem enfim se libertou de todas essas restrições. As limitações da vida de caçador-coletor o haviam amarrado por três milhões de anos. Com a agricultura, essas limitações desapareceram e sua ascensão foi meteórica. O assentamento levou à divisão do trabalho; a divisão do trabalho levou à tecnologia; a tecnologia trouxe o comércio e os negócios; o comércio e os negócios trouxeram a matemática, a linguagem escrita, a ciência e tudo o mais. Tudo enfim estava a caminho, e o resto, como dizem, é história.

"E esse é o meio da história."

2

— Muito bom — elogiou Ismael. — Com certeza, sabe que o "grande momento" que acabou de descrever foi de fato o nascimento de sua cultura.

— Sim.

— É preciso assinalar, no entanto, que a ideia de que a agricultura se espalhou pelo mundo a partir de um único ponto de origem é notoriamente ultrapassada. Mesmo assim, o delta do Nilo continua sendo o berço *lendário* da agricultura, pelo menos no Ocidente, e isso tem uma importância especial, que examinaremos depois.

— Está bem.

— A parte da história de ontem revelou o sentido do mundo como é entendido pelos Pegadores: o mundo é um sistema de preservação humana, uma máquina criada para produzir e manter a vida humana.

— Certo.

— A parte da história de hoje é sobre o destino do homem. Obviamente, não era destino do homem viver como um leão ou como um vombate.

— Isso mesmo.

– Então, qual era o destino do homem?

– Hum... – murmurei. – O destino do homem é... obter, realizar grandes coisas.

– A noção de destino humano para os Pegadores é mais específica.

– Bem, suponho que podemos dizer que o destino do homem é erguer a civilização.

– Pense mitologicamente.

– Acho que não sei fazer isso.

– Vou demonstrar. Escute.

Eu escutei.

3

– Como vimos ontem, a criação não se completou quando a água-viva apareceu, ou quando os anfíbios apareceram, ou quando os répteis apareceram, ou mesmo quando os mamíferos apareceram. De acordo com sua mitologia, ela se completou apenas com o aparecimento do homem.

– Certo.

– Por que o mundo e o universo eram incompletos sem o homem? Por que o mundo e o universo *precisavam* do homem?

– Não sei.

– Pense nisso. Pense no mundo sem o homem. *Imagine* o mundo sem o homem.

– Está bem – disse eu e fechei os olhos. Minutos depois, disse-lhe que estava imaginando o mundo sem o homem.

– Como é?

– Não sei. É só o mundo.

– Onde você está?

– Como assim?

– De onde está olhando para o mundo?

– De cima. Do espaço.

– O que está fazendo aí em cima?

– Não sei.

– Por que não está sobre a superfície?

– Não sei. Sem o homem... sou apenas um visitante, um alienígena.

– Bom, desça à superfície.

– Certo – disse eu, mas comentei após um minuto: – É interessante. Prefiro *não* descer até lá.

– Por quê? O que tem lá embaixo?

Comecei a rir.

– A *selva*.

– Entendo. Você quer dizer: "A natureza, de garra e dentes ensanguentados... Dragões dos primórdios que se esfacelam sobre o lodo".

– Isso mesmo.

– E o que aconteceria se descesse até lá?

– Seria mais um a ser esfacelado sobre o lodo pelos dragões. – Abri os olhos a tempo de ver Ismael assentindo com um gesto de cabeça.

– E é nesse ponto que começamos a entender onde o homem se encaixa no plano divino. Os deuses não queriam que o mundo fosse uma selva, não é?

– Quer dizer, em nossa mitologia? Certamente que não.

– É isso: sem o homem, o mundo estaria inacabado, seria apenas natureza, de garras e dentes ensanguentados. Seria o caos, um estado de anarquia primeva.

– Sim, exatamente.

– Então, do que o mundo precisava?

– Precisava que alguém chegasse e endireitasse as coisas. De alguém que trouxesse ordem.

– E que tipo de pessoa endireita as coisas? Que tipo de pessoa controla a anarquia e traz ordem?

– Bom... um governante, um rei.

– Claro! O mundo precisava de um governante. Precisava do homem.

– Sim.

– Portanto, agora temos uma ideia mais clara do significado da história: *O mundo foi feito para o homem, e o homem foi feito para governá-lo.*

– Sim, é bastante óbvio agora. É o que todos pensam.

– E isso é o quê?

– Como assim?

– É um fato?

– Não.

– Então, é o quê?

– É mitologia – respondi.

– Da qual não restou sinal em sua cultura.

– Isso mesmo.

Mais uma vez Ismael me olhou de modo taciturno por trás do vidro.

– Olhe – disse eu pouco depois. – As coisas que está me mostrando, que está fazendo... são quase inacreditáveis. Sei disso. Mas é que não sou do tipo que pula da cadeira, dá um tapa na testa e grita: "Meu Deus, isso é incrível!"

Ele franziu a testa pensativamente antes de perguntar:

– O que há de *errado* com você?

Parecia tão sinceramente preocupado que não pude deixar de sorrir.

– Estou congelado por dentro – disse-lhe. – Sou um *iceberg*.

Ele meneou a cabeça, com pena de mim.

4

– Voltando ao nosso assunto... Como você disse, o homem demorou muito, muito tempo para atinar com o fato de que estava destinado a realizar grandes coisas, o que era impossível vivendo como um leão ou um vombate. Durante três milhões de anos, ele apenas fez parte da anarquia, foi apenas mais uma criatura rolando sobre o lodo.

– Certo.

– Foi apenas há cerca de dez mil anos que ele finalmente entendeu que seu lugar não era no lodo. Precisava se erguer do lodo, assumir o controle do seu espaço e organizá-lo.

– Certo.

– Mas o mundo se submeteu docilmente ao governo humano?

– Não.

– O mundo desafiava o homem. O que ele construía, o vento e a chuva derrubavam. Os campos que ele limpava para suas plantações e vilas, a selva reclamava de volta. As sementes que plantava, os pássaros levavam. Os brotos que cultivava, os insetos corroíam. A colheita que armazenava, os ratos saqueavam. Os animais que criava e alimentava, os lobos roubavam. As montanhas, os rios e os oceanos mantinham-se onde estavam, não abrindo caminho para ele. O terremoto, a enchente, o furacão, a nevada e a seca não desapareciam sob seu comando.

– É verdade.

– Se o mundo não se submetia docilmente ao seu governo, o que o homem precisava fazer?

– Como assim?

– Se o rei chega a uma cidade que não se submete a seu governo, o que ele precisa fazer?

– Precisa conquistá-la.

– Claro! Para se tornar o governante do mundo, o homem antes precisou conquistá-lo.

– Santo Deus! – exclamei, e quase saltei da cadeira, bati na testa e tudo o mais.

– Sim?

– Ouvimos isso cem vezes por dia. É só ligar o rádio ou a televisão, a qualquer hora. O homem está conquistando os desertos, o homem está conquistando os oceanos, o homem está conquistando o átomo, o homem está conquistando os elementos, o homem está conquistando o espaço exterior.

Ismael sorriu.

– Não acreditou quando lhe disse que essa história é ubíqua em sua cultura. Agora entende o que quero dizer. A mitologia de sua cultura é um murmúrio tão constante que ninguém presta a menor atenção a ele. É claro que o homem está conquistando o espaço, o átomo, os desertos, os oceanos e os elementos. Segundo sua mitologia, é para isso que ele *nasceu*.

– Sim, ficou bem claro agora.

5

– Agora as duas partes da história se uniram: o mundo foi feito para o homem, e o homem foi feito para conquistá-lo e governá-lo. E como a segunda parte contribui para a explicação de *como as coisas vieram a ser como são?*

– Deixe-me pensar... Parece outro truque para culpar os deuses. Criaram o mundo para o homem, criaram o homem para conquistá-lo e governá-lo, e foi o que ele acabou fazendo. E é assim que as coisas vieram a ser como são.

– Seja mais preciso. Aprofunde-se.

Fechei os olhos e pensei por alguns minutos, mas não me veio nada.

Ismael acenou com a cabeça em direção à janela.

– Tudo isso, todos os seus triunfos e tragédias, todas as suas maravilhas e misérias são resultados diretos... do quê?

Ruminei um pouco sobre isso, mas continuei sem perceber aonde ele queria chegar.

– Pensemos assim – sugeriu Ismael. – As coisas não teriam se tornado como são se os deuses tivessem destinado o homem a viver como um leão ou um vombate, teriam?

– Não.

– O destino do homem era conquistar e comandar o mundo. Portanto, as coisas vieram a ser como são como resultado direto de...?

– Da realização do destino do homem.

– Claro! E ele *tinha* de cumprir seu destino, não tinha?

– Sim, certamente.

– Então, qual é o motivo para se alarmar?

– Realmente, realmente.

– Do ponto de vista dos Pegadores, tudo isso é apenas o preço de se tornar humano.

– Como assim?

– Não era possível tornar-se plenamente humano vivendo ao lado dos dragões sobre o lodo, era?

– Não.

– Para se tornar plenamente humano, o homem teve de se erguer do lodo. E tudo isso é o resultado. Na visão dos Pegadores, os deuses deram ao homem a mesma escolha que deram a Aquiles: uma vida breve de glória ou uma vida longa e monótona na obscuridade. E os Pegadores escolheram uma vida breve de glória.

– Sim, com certeza é o que se pensa. As pessoas simplesmente encolhem os ombros e dizem: "Bem, esse é o preço que precisava ser pago para ter assistência técnica, aquecimento central, ar-condicionado, automóveis e tudo o mais".

Olhei-o interrogativamente.

– E o que *você* diz?

– Digo que o preço que vocês pagaram não é o preço para se tornar humano. Não é nem mesmo o preço para ter as coisas que acabou de mencionar. É o preço para encenar uma história em que o homem atua como inimigo do mundo.

CINCO

1

– Unimos o começo e o meio da história – disse Ismael ao começarmos no dia seguinte. – O homem finalmente começa a cumprir seu destino. A conquista do mundo está a caminho. E como a história termina?

– Acho que eu deveria ter continuado ontem. Perdi o fio da meada.

– Talvez ajude se ouvir o final da segunda parte.

– Boa ideia.

Voltei um minuto ou dois da fita e a reproduzi. "O homem enfim se libertou de todas essas restrições. As limitações da vida de caçador--coletor o haviam amarrado por três milhões de anos. Com a agricultura, essas limitações desapareceram e sua ascensão foi meteórica. O assentamento levou à divisão do trabalho; a divisão do trabalho levou à tecnologia; a tecnologia trouxe o comércio e os negócios; o comércio e os negócios trouxeram a matemática, a linguagem escrita, a ciência e tudo o mais. Tudo enfim estava a caminho, e o resto, como dizem, é história."

– Certo – considerei. – O destino do homem era conquistar e governar o mundo, e foi isso que ele fez... ou quase. Não o conquistou de todo, e parece que isso poderá ser sua ruína. O problema é que a conquista do mundo pelo homem causou a devastação do mundo. E, apesar de todo o controle que obtivemos, não temos controle o bastante para *parar* de devastar o mundo ou para remediar a devastação que já causamos. Despejamos nossos venenos no mundo como se ele fosse um poço sem fundo, e *continuamos* a despejar nossos venenos no mundo. Devoramos recursos insubstituíveis como se nunca fossem acabar e *continuamos* a devorá-los. É difícil imaginar como o mundo poderá sobreviver a outro século desse abuso, mas ninguém está realmente fazendo algo a esse respeito. É um problema que nossos filhos terão de resolver, ou os filhos deles.

"Somente uma coisa pode nos salvar", continuei. "Temos de *aumentar* nosso domínio sobre o mundo. Todo esse estrago foi causado por nossa conquista do mundo, mas temos de *continuar* a conquistá-lo até que o nosso governo seja *absoluto*. Então, quando o nosso controle for *completo*, tudo ficará bem. Teremos energia de fusão. Não haverá mais poluição. Ligaremos e desligaremos a chuva. Plantaremos um alqueire de trigo num centímetro quadrado. Transformaremos os oceanos em fazendas. Controlaremos o clima, e não haverá mais furacões, tornados, secas e geadas inoportunas. Faremos as nuvens soltarem sua água sobre a terra em vez de despejá-la inutilmente no oceano. Todos os processos vitais deste planeta estarão em seu lugar, onde os deuses querem que estejam: em nossas mãos. E nós os manipularemos assim como um programador manipula um computador. É a situação do momento. Precisamos aprofundar a conquista. E, ao aprofundá-la, destruiremos o mundo ou o transformaremos num paraíso; o paraíso que era destino do homem criar com seu governo. E se conseguirmos isso, se finalmente nos tornarmos os senhores absolutos do mundo, então nada mais nos deterá. Entraremos na era de *Jornada nas estrelas*. O homem se lançará no espaço para conquistar e governar todo o universo. E este pode ser seu destino último: conquistar e governar todo o universo. Que ser maravilhoso é o homem!"

2

Para meu espanto, Ismael tirou um ramo da pilha e o sacudiu em minha direção num entusiasmado gesto de aprovação.

– Mais uma vez, foi excelente – disse ele, mordendo a extremidade do ramo. – Mas, como você deve saber, se tivesse contado essa parte da história há cem anos, ou mesmo há cinquenta anos, teria falado apenas do paraíso vindouro. A ideia de que a conquista do mundo pelo homem pudesse não ser benéfica teria sido impensável. Até as últimas três ou quatro décadas, as pessoas de sua cultura não duvidavam de que tudo só iria melhorar, cada vez mais e para sempre. Não havia um final concebível no horizonte.

– É verdade.

– Mas deixou um elemento de fora da história, necessário para completar a explicação que sua cultura dá para *como as coisas vieram a ser como são*.

– Que elemento é esse?

– Acho que pode adivinhar. Até agora temos o seguinte: *O mundo foi feito para ser conquistado pelo homem, e seu destino é tornar-se um paraíso sob o domínio humano.* Evidentemente um "porém" deve vir depois. Sempre houve um "porém", porque os Pegadores sempre perceberam que o mundo estava longe de ser o paraíso que deveria ser.

– De fato. Deixe-me ver... Que tal isto: O mundo foi feito para ser conquistado e governado pelo homem, porém sua conquista se revelou mais destrutiva do que previram.

– Você não está prestando atenção. O "porém" fazia parte da história muito antes de sua conquista se tornar globalmente destrutiva. O "porém" entrou para explicar todas as falhas de seu paraíso: as guerras, a brutalidade, a pobreza, a injustiça, a corrupção e a tirania. Ainda é usado hoje para explicar a fome, a opressão, a proliferação nuclear e a poluição. Explicou a Segunda Guerra Mundial e, se um dia for preciso, explicará a Terceira Guerra Mundial.

Olhei para ele, intrigado.

– É um lugar-comum – observou Ismael. – Qualquer colegial saberia responder.

– Tem razão, mas ainda não vejo o que é.

– Vamos, pense. O que deu errado aqui? O que *sempre* deu errado? Sob o domínio humano, o mundo deveria ter-se tornado um paraíso, porém...

– Porém as pessoas estragaram tudo.

– É claro! E por que estragaram tudo?

– Por quê?

– Estragaram tudo porque não *queriam* um paraíso?

– Não. O que se pensa é que... elas estavam *destinadas* a estragar tudo. Queriam transformar o mundo num paraíso, mas, sendo humanas, estavam destinadas a estragar tudo.

– Mas por quê? Por que, sendo humanas, estavam destinadas a estragar tudo?

– Porque há algo fundamentalmente *errado* com os seres humanos. Algo que sabota a construção do paraíso. Algo que os torna estúpidos, destrutivos, gananciosos e imprudentes.

– É claro! Todos de sua cultura sabem disso. O homem nasceu para transformar o mundo num paraíso, mas, lamentavelmente, nasceu imperfeito. E por isso seu paraíso sempre foi arruinado pela estupidez, ganância, destruição e imprudência.

– É isso mesmo.

3

Pensei bem e olhei-o com incredulidade.

– Está sugerindo que essa explicação é *falsa*?

Ismael meneou a cabeça.

– É inútil argumentar com mitologias. Era uma vez uma cultura que acreditava que o lar do homem era o centro do universo. Como o universo fora criado para o homem, fazia sentido que a Terra fosse sua capital. Os seguidores de Copérnico não questionavam esse ponto. Não apontavam para as pessoas e diziam: "Vocês estão erradas". Apontavam para os céus e diziam: "Olhem o que na verdade está *lá*".

– Não sei bem se estou entendendo.

– Como os Pegadores chegaram à conclusão de que há algo fundamentalmente errado com os humanos? Que evidência tinham diante dos olhos?

– Não sei.

– Acho que está sendo obtuso de propósito. Tinham diante dos olhos a evidência da história humana.

– É verdade.

– E quando a história humana começou?

– Bem... há três milhões de anos.

Ismael me olhou, contrariado.

– Esses três milhões de anos foram incluídos na história humana apenas recentemente, como sabe muito bem. Antes era universalmente aceito que a história humana começara quando?

– Há apenas poucos milhares de anos.

– É claro! Na verdade, as pessoas de sua cultura presumiam que toda a história humana fosse a *sua* história. Ninguém tinha a menor suspeita de que a vida humana se estendia além de seu território.

– Verdade.

– Então, quando as pessoas de sua cultura concluíram que há algo fundamentalmente errado com os humanos, que evidência tinham diante dos olhos?

– A evidência de sua própria história.

– Exatamente. Basearam-se em meio por cento de evidência, retirada de uma única cultura. Não é uma amostra muito significativa para sustentar uma conclusão tão abrangente.

– É verdade.

– Não há nada fundamentalmente errado com as pessoas. Se tiverem uma história para encenar que as deixe de acordo com o mundo, viverão de acordo com o mundo. Mas, se tiverem uma história para encenar que as deixe em desacordo com o mundo, como é o seu caso, viverão em desacordo com o mundo. Se tiverem uma história para encenar em que sejam os senhores do mundo, irão agir como os senhores do mundo. Se tiverem uma história para encenar em que o mundo seja o inimigo a ser conquistado, irão conquistá-lo como a um inimigo. Inevitavelmente, um dia o inimigo estará sangrando até a morte a seus pés, como o mundo está agora.

4

– Há alguns dias – lembrou Ismael – descrevi sua explicação de *como as coisas vieram a ser como são* como um mosaico. Vimos até agora somente o modelo do mosaico, o contorno geral da figura. Não iremos preencher o modelo aqui. É algo que pode facilmente fazer sozinho quando terminarmos.

– Está bem.

– No entanto, um traço importante do modelo precisa ser esboçado antes que continuemos... Um dos traços mais marcantes da cultura dos Pegadores é sua dependência apaixonada e inabalável de profetas. A influência de pessoas como Moisés, Gautama Buda, Confúcio, Jesus e Maomé na cultura dos Pegadores é simplesmente enorme. Certamente sabe disso.

– Sim.

– O que torna esse aspecto tão marcante é não haver absolutamente nada parecido entre os Largadores – a não ser quando reagem a algum contato devastador com a cultura dos Pegadores, como é o caso dos Wovoka e a Dança dos Espíritos, ou de John Frum e os cultos à carga no Pacífico sul. Fora isso, não há tradição alguma de profetas entre os Largadores que surgem para endireitar suas vidas e lhes dar um novo conjunto de leis ou princípios para os guiarem.

– Eu percebia isso vagamente. Suponho que todos percebam. Acho que é... não sei.

– Continue.

– Acho que o sentimento é: "Ora bolas, quem se importa com essa gente?" Não é de admirar que os selvagens não tenham profetas. Deus só se interessou pela humanidade quando os bons agricultores neolíticos brancos apareceram.

– Sim, bem pensado. Mas o que quero examinar agora não é a ausência de profetas entre os Largadores, mas a enorme influência dos profetas sobre os Pegadores. Milhões já se dispuseram a defender um profeta que adotaram com o risco da própria vida. O que torna esses profetas tão importantes?

– É uma boa pergunta, mas acho que não tenho a resposta.

– Muito bem, pense assim: o que os profetas tentavam realizar? O que vieram fazer?

– Você disse agora há pouco. Vieram para nos endireitar e nos dizer como devemos viver.

– Informações vitais. Evidentemente, vale morrer por elas.

– Evidentemente.

– Mas por quê? Por que precisam de profetas para lhes dizer como viver? Por que precisam que *alguém* lhes diga como viver?

– Ah, entendi aonde quer chegar. Precisamos de profetas para nos dizer como viver porque, de outra forma, não saberíamos como.

– É claro! Questões sobre como as pessoas devem viver sempre se tornam questões religiosas entre os Pegadores. Sempre terminam com discordâncias entre profetas. Por exemplo, quando o aborto começou a ser legalizado nos Estados Unidos, a questão foi tratada de início como sendo puramente civil. Mas, quando as pessoas começaram a ter dúvidas, recorreram a seus profetas. Logo formou-se uma briga religiosa, e cada lado buscou apoio em seus clérigos. Do mesmo modo, a questão da liberação de drogas como a heroína e a cocaína está sendo debatida principalmente em termos práticos, mas, se um dia se tornar uma possibilidade séria, gente de uma certa tendência sem dúvida começará a esquadrinhar as Escrituras para ver o que os profetas têm a dizer sobre o assunto.

– Sim, é verdade. É uma reação tão automática, que as pessoas a tomam como garantida.

– Há um minuto você disse: "Precisamos de profetas que nos digam como devemos viver porque, de outro modo, não saberíamos como". Por que isso? Por que não saberiam como viver sem seus profetas?

– É uma boa pergunta. Eu diria que é porque... Veja o caso do aborto. Podemos *discutir* a questão durante mil anos, mas nunca haverá um argumento forte o suficiente para *terminar* a discussão, porque todo argumento tem um contra-argumento. Logo, é impossível saber o que devemos fazer. Por isso precisamos do profeta. O profeta *sabe*.

– Sim, acho que é isso. Mas a pergunta permanece: por que *vocês* não sabem?

– Acho que a pergunta permanece porque não sei responder a ela.

– Sabem dividir átomos, mandar exploradores à Lua, manipular genes, mas não sabem como as pessoas devem viver.

– Isso mesmo.

– Por que isso? O que a Mãe Cultura tem a dizer?

– Ah! – exclamei, fechando os olhos. Após um minuto, continuei: – A Mãe Cultura diz que é possível ter um conhecimento *exato* de coisas como átomos, viagens espaciais e genes, mas não há como ter um conhecimento exato de como as pessoas devem viver. Um conhecimento assim simplesmente não existe, e é por isso que não o temos.

– Entendo. E, tendo ouvido a Mãe Cultura, o que *você* tem a dizer?

– Nesse caso, devo dizer que concordo. Um conhecimento exato de como as pessoas devem viver simplesmente não se observa *no mundo*.

– Em outras palavras, o melhor que podem fazer, já que nada se observa no mundo, é consultar o interior de seus cérebros. É o que está sendo feito no debate sobre a legalização das drogas. Cada lado está preparando uma defesa baseada no que é *razoável* e, qualquer que seja o partido que tomarem, continuarão sem saber se fizeram a coisa certa.

– Exatamente. Não será uma questão de fazer o que deve ser feito, porque não há como descobrir isso. Será apenas uma questão de tomar partido.

– Tem certeza disso? Simplesmente não há como obter nenhum conhecimento exato de como as pessoas devem viver.

– Certeza absoluta.

– De onde tirou essa certeza?

– Não sei. Um conhecimento exato de como viver é... inalcançável por todos os modos por meio dos quais obtemos conhecimento exato. Como eu disse, simplesmente não é algo que se observa *no mundo*.

– Alguém de vocês já *procurou* no mundo?

Sorri com ceticismo.

– Alguém já disse: "Bem, já que temos um conhecimento exato de todas essas coisas, por que não tentar encontrar um conhecimento semelhante de como viver?" Alguém já fez isso?

– Duvido.

– Isso não lhe parece estranho? Considerando-se que esse é de longe o problema mais importante que a humanidade tem de resolver, que sempre teve de resolver, era de esperar que houvesse um ramo da ciência dedicado só a ele. Em vez disso, vemos que nenhum de vocês jamais se perguntou se tal conhecimento não podia ser obtido em algum lugar.

– Sabemos que não está em nenhum lugar.

– Antes de procurar, quer dizer.

– Isso mesmo.

– Não é um procedimento muito científico para um povo tão científico.

– É verdade.

5

– Sabemos duas coisas muito importantes sobre as pessoas – disse Ismael. – Pelo menos segundo a mitologia dos Pegadores. Primeiro, há algo fundamentalmente errado com elas e, segundo, não têm nenhum conhecimento exato de como devem viver. E nunca terão. Parece que deve haver uma ligação entre essas duas coisas.

— Sim. Se as pessoas soubessem como viver, poderiam solucionar o que está errado com a natureza humana. Quero dizer, saber como viver precisaria incluir saber como viver como seres imperfeitos. Se não incluísse, não seria a verdadeira descoberta. Entende o que estou dizendo?

— Acho que sim. Na verdade, está dizendo que, se soubessem como devem viver, a falha humana poderia ser controlada. Se soubessem como devem viver, não estariam sempre estragando o mundo. Talvez as duas coisas sejam na verdade uma. Talvez a falha humana seja exatamente esta: não saber como viver.

— Sim, é algo a se pensar.

— Já estabelecemos os principais elementos da explicação de sua cultura de *como as coisas vieram a ser como são*. O homem recebeu o mundo para que o transformasse num paraíso, mas sempre estragou tudo, pois é fundamentalmente imperfeito. Ele poderia remediar isso se soubesse como deve viver, mas não sabe. E nunca saberá, porque é impossível obter um conhecimento desse tipo. Então, por mais que o homem se esforce para transformar o mundo num paraíso, provavelmente continuará para sempre estragando tudo.

— Sim, é o que parece.

— É uma história lamentável a sua, de impotência e futilidade, em que literalmente *não há nada a ser feito*. O homem é imperfeito, logo continuará estragando o que deveria ser um paraíso, e não há nada a ser feito quanto a isso. Não sabe como viver de modo a *parar* de estragar o paraíso, e não há nada que possa fazer. E aí estão vocês precipitando-se em direção à catástrofe, e tudo o que podem fazer é esperá-la chegar.

— Sim, é o que parece.

— Tendo apenas essa história miserável para encenar, não é de estranhar que muitos passem a vida narcotizados com drogas, bebidas ou televisão. Não é de estranhar que muitos enlouqueçam ou se tornem suicidas.

— É verdade. Mas há outra?

– Outra o quê?

– Outra história para encenar?

– Sim, há outra história para encenar, mas os Pegadores estão fazendo de tudo para destruí-la, juntamente com o resto.

7

– Fez bastante turismo durante suas viagens?

Olhei-o sem entender.

– Turismo?

– Deu-se ao trabalho de sair para conhecer as atrações locais?

– Acho que sim. Às vezes.

– Certamente notou que *apenas* turistas realmente olham para os marcos locais. Por comodidade, essas paisagens são invisíveis aos nativos, porque estão sempre ali, debaixo de seus olhos.

– Sim, é verdade.

– É o que fizemos em nossa viagem até agora. Passeamos pela sua pátria cultural, observando os marcos que os nativos nunca veem. Um visitante de outro planeta os acharia notáveis, até extraordinários, mas os nativos de sua cultura os consideram naturais e nem sequer reparam neles.

– É verdade. Precisou segurar minha cabeça, virá-la numa direção e dizer: "Está vendo aquilo?" Mas eu digo: "Vendo o quê? Não há nada para ver".

– Hoje passamos bastante tempo examinando um de seus monumentos mais impressionantes. Um axioma que declara não haver modo algum de obter um conhecimento exato de como as pessoas devem viver. A Mãe Cultura quer que o aceitem por si só, sem a menor prova, já que é inerentemente indemonstrável.

– É verdade.

– Que conclusão tira desse axioma?

– É inútil procurar esse conhecimento.

– Isso mesmo. Segundo seus mapas, o mundo do pensamento é

coextensivo à sua cultura. Termina nas fronteiras de sua cultura, e quem se aventurar além delas simplesmente despencará no nada. Entende o que digo?

– Acho que sim.

– Amanhã, reuniremos coragem e cruzaremos essa fronteira. Como verá, não cairemos no nada. Apenas entraremos num território novo, num território nunca antes explorado por ninguém de sua cultura. Segundo seus mapas, ele não existe. Não *pode* existir.

Seis

1

– Como se sente hoje? – perguntou Ismael. – As palmas das mãos estão suando? O coração está disparado?

Olhei-o pensativamente através do vidro que nos separava. Aquelas brincadeiras, aquele brilho no olhar eram novidades, e eu não tinha certeza se gostava deles. Fiquei tentado a lembrá-lo de que era um *gorila*, afinal de contas, mas me contive e murmurei:

– Relativamente calmo, por enquanto.

– Ótimo. Assim como o Segundo Assassino*, você é aquele a quem os vis golpes e bofetadas da vida tanto enfureceram que já não teme afrontar o mundo.

– Precisamente.

– Então, vamos começar. Estamos diante de um muro na fronteira do pensamento de sua cultura. Ontem a chamei de um monumento, mas suponho que nada impeça um muro de ser um monumento. De qualquer modo, esse muro é um axioma que declara que o conhecimento exato sobre como as pessoas devem viver é inalcançável. Rejeito esse axioma e pulo o muro. Não precisamos de profetas para nos dizer como viver; podemos descobrir sozinhos consultando *o que de fato se observa no mundo*.

Não havia nada a dizer quanto a isso; portanto, encolhi os ombros.

– Está cético, é claro. Segundo os Pegadores, todo tipo de informação útil pode ser encontrado no universo, mas nenhuma dessas informações diz respeito a como as pessoas devem viver. Estudando o universo, aprenderam a voar, a dividir os átomos, a mandar mensagens para as estrelas à velocidade da luz, e assim por diante, mas não há como estudar o universo para adquirir o conhecimento mais básico e necessário de todos: o conhecimento de como devem viver.

– Isso mesmo.

– Há um século, os candidatos a aeronauta estavam exatamente na mesma situação quando tentavam aprender a voar. Entende por quê?

– Não. Não entendo o que aeronautas têm a ver com isso.

– Não se sabia nem ao menos se o conhecimento que esses futuros

---

* Second Murderer, personagem da peça *MacBeth*, de William Shakespeare. (N. do E.)

aeronautas procuravam existia. Dizia-se que se podia observá-lo no mundo; portanto, era inútil procurá-lo. Vê a semelhança agora?

– Suponho que sim.

– A semelhança vai além, todavia. Naquela época, não se podia ter certeza sobre nada que se sabia sobre o voo. Todos tinham sua própria teoria. Alguns diziam: "O único modo de voar é imitar os pássaros; portanto, precisamos de um par de asas móveis". Outros diziam: "Um par não basta. É preciso dois". Outros ainda diziam: "Bobagem. Aviões de papel voam sem asas móveis; precisamos de um par de asas rígidas e de um grupo motopropulsor para nos impulsionar pelo ar". E assim por diante. Podiam debater suas noções preferidas até se fartar, porque nada havia que fosse certo. Só se podia prosseguir por tentativa e erro.

– Hum, hum – concordei.

– O que era preciso para que prosseguissem com mais eficiência?

– Bom, como você disse: de algum conhecimento.

– Mas que conhecimento, exatamente?

– Santo Deus... Precisavam saber como se sustentar no ar. Precisavam saber que o ar, quando passa por cima de um aerofólio...

– O que está tentando descrever?

– Estou tentando descrever o que acontece quando o ar passa por cima de um aerofólio.

– Quer dizer, o que *sempre* acontece quando o ar passa por cima de um aerofólio?

– Isso mesmo.

– Como se chama isso? Uma frase que descreve o que sempre acontece quando certas condições são satisfeitas?

– Uma lei.

– Claro! Os primeiros aeronautas tiveram que ir por tentativa e erro porque não conheciam as leis da aerodinâmica. Nem sequer sabiam que *havia* leis.

– Certo, estou vendo aonde quer chegar.

– As pessoas de sua cultura estão na mesma situação quando se trata de aprender como devem viver. Precisam ir por tentativa e erro, porque não conhecem as leis relevantes, e nem sequer sabem que *existem* leis.

– E eu concordo com isso – disse eu.

– Tem certeza de que não se podem encontrar leis sobre como as pessoas devem viver?

– Isso mesmo. Obviamente, existem leis inventadas, como as leis contra o uso de drogas, mas podem ser mudadas pelo voto. Não se podem mudar as leis da aerodinâmica pelo voto, e não há leis semelhantes sobre como devemos viver.

– Entendo. Isso é o que a Mãe Cultura ensina, e nesse caso você concorda com ela. Tudo bem. Mas agora entende claramente o que estou tentando fazer: mostrar-lhe uma lei que, como concordará, não está sujeita a mudanças pelo voto.

– Certo. Minha mente está aberta, mas não imagino nenhum modo possível de realizar isso.

2

– Qual é a lei da gravidade? – perguntou Ismael, outra vez me surpreendendo com uma aparente mudança de assunto.

– A lei da gravidade? Bom, a lei da gravidade é... toda partícula no universo sofre atração de todas as outras partículas, e a atração varia de acordo com a distância entre elas.

– E essa formulação da lei foi tirada de onde?

– Como assim?

– Foi derivada da observação do quê?

– Bom... da matéria, creio eu. Do comportamento da matéria.

– Não foi derivada de um estudo profundo dos hábitos das abelhas?

– Não.

– Quem quer entender os hábitos das abelhas estuda as abelhas, e não a formação de montanhas.

– Correto.

– E, se lhe ocorresse a estranha ideia de que há um conjunto de leis sobre como viver, onde o procuraria?

– Não sei.

– Olharia para o céu?

– Não.

– Investigaria o domínio das partículas subatômicas?

– Não.

– Estudaria as propriedades da madeira?

– Não.

– Arrisque um palpite.

– Antropologia?

– A antropologia é um campo de estudo, como a física. Newton descobriu a lei da gravidade lendo um livro de física? Era lá que estava escrita?

– Não.

– Onde estava escrita?

– Na matéria. No universo da matéria.

– Então, pergunto de novo: se há uma lei que diz respeito à vida, onde estará escrita?

– Suponho que no comportamento humano.

– Vou lhe contar uma novidade assombrosa: *o homem não está sozinho no planeta*. Faz parte de uma comunidade, da qual depende completamente. Alguma vez já suspeitou disso?

Era a primeira vez que me olhava com reprovação.

– Não precisa ser sarcástico – disse eu.

– Qual é a comunidade da qual o homem é apenas um membro?

– A comunidade da vida.

– Bravo! Parece-lhe plausível que a lei que estamos procurando esteja escrita nessa comunidade?

– Não sei.

– O que diz a Mãe Cultura?

Fechei os olhos e fiquei ouvindo-o durante algum tempo.

– A Mãe Cultura diz que, se houvesse tal lei, não se aplicaria a nós.

– Por que não?

– Porque estamos muito acima do resto dessa comunidade.

– Entendo. É capaz de me dizer alguma outra lei da qual estão isentos por serem humanos?

– Como assim?

– As vacas e as baratas estão submetidas à lei da gravidade. Vocês estão isentos?

– Não.

– Estão isentos das leis da aerodinâmica?

– Não.

– Da genética?

– Não.

– Da termodinâmica?

– Não.

– É capaz de me dizer alguma lei da qual os seres humanos estejam isentos?

– Não de imediato.

– Avise-me quando for capaz. Seria uma verdadeira novidade.

– Está bem.

– Mas, enquanto isso, se é que existe uma lei que governa o comportamento na comunidade da vida em geral, os seres humanos estariam isentos dela.

– Bem, é o que a Mãe Cultura diz.

– E o que você diz?

– Não sei. Não vejo como uma lei para tartarugas e borboletas pode ter muita relevância para nós. Suponho que as tartarugas e as borboletas sigam a lei de que está falando.

– Isso mesmo, seguem. Quanto à relevância, as leis da aerodinâmica não foram sempre relevantes para vocês, foram?

– Não.

– Quando se tornaram relevantes?

– Bom... quando quisemos voar.

– Quando querem voar, as leis que governam o voo são relevantes.

– Sim, isso mesmo.

– E, quando estão no limiar da extinção e querem viver por mais tempo, as leis que governam a vida podem se tornar relevantes.

– Suponho que sim.

3

– Qual é o efeito da lei da gravidade? Para que serve a gravidade?

– Diria que a gravidade é o que organiza as coisas em nível macroscópico. É o que mantém as coisas unidas: o sistema solar, a galáxia, o universo.

Ismael assentiu com a cabeça.

– E a lei que estamos procurando é a que mantém a comunidade viva unida. Organiza as coisas num nível biológico assim como a lei da gravidade organiza as coisas macroscopicamente.

– Certo. – Ismael intuiu que eu tinha algo em mente, porque esperou que eu continuasse. – É difícil acreditar que os próprios biólogos não conheçam essa lei.

Franziu o rosto negro-azulado com surpresa bem-humorada.

– Você imagina que a Mãe Cultura não fala com os seus biólogos?

– Não.

– E o que ela lhes diz?

– Que, se é que existe, essa lei não se aplica a nós.

– É claro! Mas isso não chega a responder à sua pergunta. Os biólogos certamente não ficariam surpresos se lhes dissessem que o comportamento na comunidade natural obedece a certos padrões. Lembre-se de que, quando Newton articulou a lei da gravidade, ninguém ficou surpreso. Não é um feito sobre-humano observar que objetos sem apoio caem em direção ao centro da Terra. Qualquer um com mais de dois anos sabe disso. O feito de Newton não foi descobrir o *fenômeno* da gravidade, mas sim formular o fenômeno como *uma lei*.

– Sim, entendo o que quer dizer.

– Da mesma forma, ninguém ficaria surpreso se ouvisse o que eu digo sobre a vida na comunidade da vida, muito menos os naturalistas, os biólogos ou os estudiosos do comportamento animal. Meu feito, se conseguir realizá-lo, será simplesmente formular *uma lei*.

– Certo, entendi.

4

– Você diria que a lei da gravidade trata sobre voo?

Pensei um pouco e disse:

– Não trata *sobre* voo, mas certamente é relevante para o voo, na medida em que se aplica a aviões assim como se aplica a pedras. Não faz distinção alguma entre aviões e pedras.

– Sim, disse bem. A lei que estamos procurando é semelhante no que diz respeito a civilizações. Não trata de civilizações, mas se aplica às civilizações do mesmo modo que se aplica a bandos de pássaros e rebanhos de cervos. Não faz distinção alguma entre civilizações humanas e colmeias de abelhas. Aplica-se a todas as espécies, sem distinção. É um motivo pelo qual a lei permanece oculta em sua cultura. De acordo com a mitologia dos Pegadores, o homem é, por definição, uma exceção biológica. Entre todos os milhões de espécies, só uma é o *produto final*. O mundo não foi feito para produzir sapos, ou tubarões, ou gafanhotos. Foi feito para produzir o homem. O homem, portanto, é um ser único e solitário, infinitamente isolado de todo o resto.

– É verdade.

5

Ismael passou os minutos seguintes olhando para um ponto à frente de seu nariz, e comecei a achar que esquecera que eu estava ali. Depois, sacudiu a cabeça e voltou a si. Pela primeira vez, desde que nos conhecêramos, deu-me uma espécie de miniaula.

– Os deuses deram três golpes sujos nos Pegadores – começou ele. – Primeiro, não colocaram o mundo no centro do universo, onde achavam que era seu lugar. Foi odioso aceitar isso, mas acabaram se acostumando. Mesmo que o lar humano estivesse solto no espaço, ainda podiam acreditar que eram a figura central no drama da criação.

"O segundo golpe dos deuses foi pior ainda. Já que o homem era o auge da criação, a criatura para a qual tudo era feito, podiam ter tido a decência de tê-lo criado de modo condizente com sua dignidade e importância, num ato separado e especial de criação. Em vez disso, tramaram para que evoluísse do caldo comum, como o carrapato e o verme. Os Pegadores *realmente* odiaram saber disso, mas estão começando a se adaptar. Mesmo que o homem tenha evoluído a partir do caldo comum, ainda está destinado pelos deuses a governar o mundo, e talvez até o universo.

"Mas o último golpe dos deuses foi o pior de todos. Apesar de os Pegadores ainda não saberem, os deuses não os isentaram da lei que governa a vida das larvas, dos carrapatos, dos camarões, dos coelhos, dos moluscos, das gazelas, dos leões e das águas-vivas. Não o isentaram dessa lei assim como não o isentaram da lei da gravidade, e esse será o pior golpe de todos para os Pegadores. Aos outros truques sujos dos deuses, eles conseguiram se adaptar. A este, não haverá adaptação possível."

Ele ficou algum tempo em silêncio, como uma montanha de pelos e carne, acho que dando um tempo para que sua afirmação calasse fundo. Depois prosseguiu:

– Toda lei tem efeitos, ou não seria considerada uma lei. Os efeitos da lei que procuramos são muito simples. Espécies que vivem de acordo com a lei vivem para sempre, se as condições ambientais permitirem. Torço para que isso seja uma boa notícia para a humanidade em geral porque, se os homens viverem de acordo com essa lei, também viverão para sempre, ou até quando as condições permitirem.

"Mas é claro que esse não é o único efeito da lei. As espécies que *não* vivem de acordo com a lei se extinguem. Na escala do tempo biológico, elas se extinguem muito rapidamente. E isso será uma péssima notícia para as pessoas de sua cultura, a pior que já ouviram."

– Espero que não ache que isso me ajuda a encontrar a lei – disse eu.

Ismael pensou um pouco, depois tirou um ramo da pilha a seu lado, estendeu-o para que eu o visse e o deixou cair no chão.

– Esse é o efeito que Newton tentava explicar. – Fez um gesto em direção ao mundo exterior. – Aquele é o efeito que estou tentando explicar. Olhando por aí, vemos um mundo cheio de espécies que, se as condições ambientais permitirem, vão continuar a viver indefinidamente.

– Sim, é o que suponho. Mas por que isso precisa de explicação?

Ismael escolheu outro ramo da pilha, ergueu-o e o deixou cair no chão.

– Por que *isso* precisa de explicação?

– Está bem, está dizendo que esse fenômeno não é resultado de *nada*. É efeito de uma lei. Uma lei está em vigor.

– Exatamente. Uma lei está em vigor, e minha tarefa é mostrar como ela vigora. Nesse ponto, o jeito mais fácil de lhe mostrar como ela vigora é por analogia com leis que já conhece: a lei da gravidade e a lei da aerodinâmica.

– Certo.

6

– Você sabe que, sentados aqui, não estamos de modo algum desafiando a lei da gravidade. Objetos sem apoio caem em direção ao centro da Terra, e as superfícies sobre as quais sentamos são nossos apoios.

– Certo.

– As leis da aerodinâmica não nos oferecem uma maneira de desafiar a lei da gravidade. Sei que sabe disso. Elas apenas nos oferecem um modo de usar o ar como apoio. Um homem sentado num avião está sujeito à lei da gravidade exatamente como nós que estamos sentados aqui. No entanto, o homem sentado no avião obviamente sente uma liberdade que nos falta: a liberdade do ar.

– Sim.

– A lei que estamos procurando é como a lei da gravidade: não há como escapar dela, mas há um modo de obter algo equivalente ao voo, equivalente à liberdade do ar. Em outras palavras, é possível erguer uma civilização capaz de voar.

Olhei-o por um momento e disse:

– Certo.

– Lembra-se de como os Pegadores agiram até chegar ao voo motorizado? Não começaram com uma compreensão das leis da aerodinâmica. Não começaram com uma teoria baseada em pesquisas e experimentos cuidadosamente planejados. Apenas construíram engenhocas, lançaram-se com elas dos penhascos e torceram pelo melhor.

– É verdade.

– Muito bem. Quero acompanhar detalhadamente uma dessas precárias tentativas. Vamos supor que seja como uma dessas maravilhosas engenhocas movidas a pedal e com asas móveis, criadas a partir de entendimento equivocado da aviação.

– Está bem.

– No começo, o voo vai bem. Nosso candidato a aviador foi empurrado da beirada do penhasco e vai pedalando, com as asas da máquina batendo loucamente. Ele se sente maravilhosamente bem, em êxtase. Experimenta a liberdade do ar. Mas não percebe que sua máquina é, em termos aerodinâmicos, incapaz de voar. Simplesmente não está de acordo com as leis que tornam o voo possível. Mas ele riria se alguém lhe dissesse isso. Nunca ouviu falar dessas leis, não sabe nada sobre elas. Apontaria para as asas batendo e diria: "Estão vendo? Igualzinho a um pássaro". No entanto, não importa o que pense, não está voando. É um objeto sem apoio, caindo em direção ao centro da Terra. Não está voando, está em queda livre. Está me acompanhando?

– Sim.

– Felizmente, ou melhor, infelizmente, para nosso aeronauta, ele escolheu um penhasco muito alto de onde decolar com sua nave. Ainda está longe de se desiludir, em termos de tempo e espaço. Lá está ele, em queda livre, sentindo-se muito bem, congratulando-se pelo seu sucesso. É como o homem daquela piada que salta do nonagésimo andar por uma aposta e diz, ao passar pelo décimo andar: "Até aqui, tudo bem".

"Lá está ele, em queda livre, experimentando o prazer do que considera voo. Da altura em que está, pode ver milhas ao redor, mas uma coisa o intriga: o chão do vale está pontilhado de naves iguais à sua. Não estão esmagadas, mas simplesmente abandonadas. 'Por que', ele se pergunta, 'essas naves não voam pelo ar em vez de estarem no chão? Que tolos abandonariam suas naves quando poderiam estar sentindo a liberdade do ar?' Ah, mas as esquisitices desses mortais de pouco talento, destinados a permanecer na terra, não lhe dizem respeito. Todavia, olhando para o vale, nota outra coisa curiosa. Parece que está perdendo altitude. Na verdade, o solo parece estar subindo em sua direção. Mas isso não lhe causa muita preocupação. Afinal, seu voo foi um total sucesso até aquele momento, e não há razão para que não continue assim. Precisa pedalar um pouco mais forte, só isso.

"Até então, tudo vai bem. Ele acha graça daqueles que haviam previsto que seu voo terminaria num acidente, em ossos quebrados e na morte. Lá está ele, chegou até aquele ponto sem um arranhão sequer, muito menos com um osso quebrado. Então, ele olha para baixo e o que vê realmente o preocupa. A lei da gravidade o persegue a uma velocidade de cem metros por segundo e está acelerando. O chão agora corre para ele de modo alarmante. Ele está preocupado, mas longe do desespero. 'Minha nave me trouxe até *aqui* em segurança', diz a si mesmo. 'Só preciso ir levando.' E começa a pedalar com todas as suas forças, o que, logicamente, não adianta nada, porque a nave simplesmente não está de acordo com as leis da aerodinâmica. Ainda que tivesse a potência de mil homens nas pernas, de dez mil, de um milhão, a nave não alçaria voo. O veículo está condenado, e ele também estará, se não abandoná-lo."

– Certo, entendo o que está dizendo, mas não vejo ligação com nosso assunto.

Ismael assentiu com um gesto de cabeça.

– Eis a ligação. Há dez mil anos, as pessoas de sua cultura embarcaram num voo semelhante: o voo da civilização. O veículo que usaram não foi construído de acordo com nenhuma teoria. Como nosso aeronauta imaginário, vocês desconheciam totalmente a existência de uma lei que devia ser obedecida para que a civilização voasse. Nem sequer imaginavam isso. Queriam a liberdade do ar, e então se lançaram na primeira engenhoca que apareceu: o Thunderbolt Pegador.

"No começo, correu tudo bem. Maravilhosamente bem, na verdade. Os Pegadores seguiam pedalando e suas asas batiam que era uma beleza. Sentiam-se ótimos, exultantes. Sentiam a liberdade do ar, estavam livres das restrições que limitavam e tolhiam o resto da comunidade biológica. E essa liberdade trouxe maravilhas – tudo o que mencionou outro dia: urbanização, tecnologia, linguagem escrita, matemática, ciência.

"O voo jamais poderia terminar, e sim apenas continuar e ser cada vez mais emocionante. Não sabiam, nem sequer imaginavam, como nosso infeliz aeronauta, que estavam no ar, mas não voando. Estavam em queda livre, porque seu veículo simplesmente não estava de acordo com a lei que torna o voo possível. Mas sua desilusão ainda tardará a chegar, e eles continuam a pedalar e a pensar que está tudo muitíssimo bem. Como nosso aeronauta, veem estranhos panoramas durante a queda. Veem as ruínas de veículos parecidos com o seu. Não foram destruídos, mas simplesmente abandonados: pelos maias, hohokams, anasazis, os povos do culto Hopewell, para citar apenas alguns encontrados aqui no Novo Mundo. 'Por que', se perguntam, 'esses veículos estão no chão e não no ar? Por que um povo preferiria ficar preso à terra a sentir a liberdade do ar, como nós?' Está além da compreensão, permanece um mistério insondável.

"Mas as excentricidades desses povos ignorantes não incomodam os Pegadores. Continuam a pedalar e a achar que está tudo bem. *Eles* não abandonarão *seu* veículo. Irão sentir a liberdade do ar para sempre. Mas, por desgraça, uma lei os persegue. Nem sequer sabem que essa lei existe, mas sua ignorância não os protege de seus efeitos. É uma lei tão implacável quanto a lei da gravidade, e os está alcançando exatamente como a lei da gravidade alcançou nosso aeronauta: *num ritmo acelerado*.

"Alguns melancólicos pensadores do século 19, como Robert Wallace e Thomas Robert Malthus, olharam para baixo. Mil anos antes, até quinhentos anos antes, provavelmente não teriam notado nada. Mas o que viram então os assustou. Parecia que o chão se precipitava ao seu encontro, que estavam prestes a colidir. Pensaram um pouco e concluíram: 'Se continuarmos desse jeito, vamos ter grandes problemas num futuro não muito distante'. Os outros Pegadores fizeram pouco de suas previsões. 'Percorremos esse caminho enorme sem sofrer nem um arranhão sequer. É verdade que o chão parece estar subindo ao nosso encontro, mas isso significa apenas que precisamos pedalar mais depressa. Não é nada sério.' No entanto, assim como fora previsto, a fome logo se tornou uma rotina de vida em várias partes do Thunderbolt Pegador. E os Pegadores tiveram que pedalar de modo ainda mais rápido e eficiente do que antes. Mas, curiosamente, quanto mais e mais eficientemente pedalam, piores se tornam as condições. É muito estranho. Peter Farb considera isso um paradoxo. 'A intensificação da produção para alimentar uma população crescente causa um aumento ainda maior da população.' Os Pegadores respondem: 'Tudo bem, só precisamos colocar gente pedalando para criar um método confiável de controle populacional. Então, o Thunderbolt Pegador voará para sempre'.

"Mas essas soluções simples não tranquilizam as pessoas de sua cultura hoje em dia. Todos estão olhando para baixo, e é óbvio que o chão está correndo ao seu encontro, mais velozmente a cada ano. Sistemas ecológicos e planetários básicos estão sendo atacados pelo Thunderbolt Pegador, e esse impacto se torna mais intenso todos os anos. Recursos básicos e insubstituíveis são devorados todos os anos, cada vez com mais ganância. Os pessimistas (ou pode ser que sejam os realistas) olham para baixo e dizem: 'Bem, a colisão pode acontecer daqui a vinte anos, ou talvez daqui a cinquenta anos. Na verdade, pode acontecer a qualquer hora. Não há como saber'. Mas é claro que também há otimistas que dizem: 'Devemos ter fé em nosso veículo. Afinal, trouxe-nos até *aqui* em segurança. O que nos espera não é o fim da linha, mas uma pequena lombada que podemos superar se todos pedalarmos mais depressa. Então, decolaremos para um futuro glorioso e infinito. O Thunderbolt Pegador nos levará às estrelas, e conquistaremos todo o universo'. Mas seu veículo não irá salvá-los. Ao contrário, é seu veículo que os está levando rumo à catástrofe. Mesmo com cinco bilhões de pessoas pedalando, ou mesmo dez ou vinte bilhões, ele não voará. Está em queda livre desde o início, e essa queda está prestes a terminar."

Enfim, eu tinha algo meu para acrescentar:

– A pior parte é que os sobreviventes, se é que haverá algum, farão tudo de novo, exatamente do mesmo jeito.

– Sim, temo que esteja certo. O método de tentativa e erro não é tão mau para se aprender a construir um veículo aéreo, mas é desastroso para se erguer uma civilização.

SETE

1

– Quero que reflita sobre a seguinte charada – disse Ismael. – Visitando uma terra distante, você chega a uma cidade estranha, isolada das outras. Logo se impressiona com as pessoas que encontra lá. São cordiais, alegres, sadias, prósperas, enérgicas, pacíficas e cultas, e lhe dizem que têm vivido assim desde que conseguem lembrar. Você teria prazer em interromper a viagem nessa cidade, e uma família se oferece para hospedá-lo.

"Naquela noite, prova a comida deles durante o jantar. Acha-a deliciosa, mas desconhecida. Pergunta-lhes o que é, e eles respondem:

"– Carne de B, claro! É a única coisa que comemos.

"Naturalmente você não entende, e pergunta se falam da carne daqueles mamíferos que pastam e mugem. Eles riem e o levam até a janela.

"– Alguns Bs moram ali – dizem, apontando para a casa dos vizinhos.

"– Santo Deus! – você exclama, horrorizado. – Estão me dizendo que comem *gente*?

"Eles o olham com perplexidade e respondem:

"– Comemos Bs.

"– Que atrocidade! – você responde. – São seus escravos, então? Prenderam-nos?

"– Por que raio os prenderíamos? – perguntam seus anfitriões.

"– Para impedi-los de fugir, ora!

"Seus anfitriões começam a pensar que você tem o juízo meio fraco e explicam-lhe que os Bs jamais pensariam em fugir porque a comida deles, os As, vivem do outro lado da rua.

"Não vou cansá-lo com todas as exclamações indignadas e as explicações perplexas deles. Por fim, você reúne todas as peças do sistema macabro. Os As são comidos pelos Bs e os Bs são comidos pelos Cs e os Cs por sua vez são comidos pelos As. Não há hierarquia alguma entre essas classes alimentares. Os Cs não são superiores aos Bs só porque estes são sua comida, porque, afinal, eles próprios são a comida de A. Tudo é perfeitamente democrático e cordial. Mas é claro que tudo é perfeitamente execrável para você, que lhes pergunta como suportam viver desse modo, sem lei. De novo, eles o olham, consternados.

"– Como assim, sem lei? – perguntam. – Temos uma lei, e todos a seguimos invariavelmente. É por isso que somos tão simpáticos, alegres, pacíficos, e todas as outras qualidades que acha tão atraentes em nós. Essa lei é o fundamento de nosso sucesso enquanto povo, e tem sido desde o início.

"Enfim, eis a charada. Sem lhes perguntar, como poderia descobrir qual é a lei que seguem?"

Lancei-lhe um olhar perdido.

– Não consigo imaginar.

– Pense um pouco.

– Bom... obviamente, a lei é que As comem Cs e Bs comem As e Cs comem Bs.

Ismael sacudiu a cabeça.

– São suas preferências alimentares. Para isso não se exige lei.

– Preciso de mais elementos, então. Só sei suas preferências alimentares.

– Tem mais três elementos. Eles têm uma lei, que seguem invariavelmente, e, por segui-la invariavelmente, sua sociedade é muitíssimo bem-sucedida.

– Ainda está muito tênue. A não ser que seja algo como... "Fique frio".

– Não estou pedindo que adivinhe qual é a lei. Estou pedindo que elabore um método para *descobrir* qual é a lei.

Soltei o corpo na cadeira, cruzei as mãos sobre a barriga e olhei para o teto. Passados alguns minutos, tive uma ideia.

– Há uma pena para quem viola essa lei?

– A morte.

– Então, esperaria uma execução.

Ismael sorriu.

– É engenhoso, mas não seria um método. Além disso, desprezou o fato de que a lei é obedecida invariavelmente. Nunca houve uma execução.

Suspirei e fechei os olhos. Minutos depois, eu disse:

– Observação. Observação cuidadosa durante um longo período.

– Está chegando perto. Pelo que procuraria?

– Por algo que *não* fizessem. Por algo que *nunca* fizessem.

– Muito bem. Mas como eliminaria fatos irrelevantes? Por exemplo, talvez descobrisse que nunca dormiam de ponta-cabeça, que nunca atiravam pedras na lua. Encontraria milhões de coisas que nunca faziam, mas não seriam necessariamente proibidas pela lei.

– É verdade. Vejamos, eles têm uma lei, seguem-na invariavelmente, e segundo eles... Ah, segundo eles, seguir essa lei lhes deu uma sociedade que funciona muito bem. Devo levar isso a sério?

– Certamente, é parte da hipótese.

– Então, isso eliminaria quase tudo o que não é irrelevante. O fato de que nunca dormem de ponta-cabeça não teria nada a ver com o bom funcionamento da sociedade. Vejamos, de fato, o que eu estaria procurando é... Eu abordaria a questão de dois lados. De um lado, eu perguntaria: "O que permite que essa sociedade funcione?" De outro, perguntaria: "O que *não fazem* que permite que essa sociedade funcione?"

– Bravo! E, agora, já que resolveu essa parte com tanto brilhantismo, vou lhe dar uma colher de chá: haverá uma execução, afinal de contas. Pela primeira vez na história, alguém violou a lei, que é o fundamento dessa sociedade. Estão todos indignados, horrorizados, estarrecidos. Pegam o ofensor, cortam-no em pedacinhos e os jogam para os cachorros. Isso deve ser de grande ajuda para que descubra a lei.

– Sim.

– Farei o papel de seu anfitrião. Acabamos de assistir à execução. Pode fazer perguntas.

– Está bem. Mas o que esse sujeito fez?

– Violou a lei.

– Certo, mas o que fez, exatamente?

Ismael encolheu os ombros.

– Viveu de modo contrário à lei. Fez as coisas que nunca fazemos.

Encarei-o, furioso.

– Não é justo. Não está respondendo às minhas perguntas.

– Saiba que toda essa lamentável história é de domínio público, rapaz. A biografia dele, completa e detalhada, está disponível na biblioteca.

Resmunguei.

– Como usará a biografia? Não diz como ele violou a lei. É apenas um registro completo de como viveu, e boa parte dela deve ser irrelevante.

– Certo, vejo que isso me dá outra linha de raciocínio. Agora tenho três: o que faz a sociedade deles funcionar, o que nunca fazem e o que *ele* fez que *nunca* fazem.

2

– Muito bem. São precisamente as três linhas que você tem para chegar à lei que procura. A comunidade da vida neste planeta funcionou bem durante três bilhões de anos. Funcionou perfeitamente, na verdade. Os Pegadores recuam, horrorizados, diante dessa comunidade, julgando-a um reino dominado pelo caos, em que a competição selvagem e implacável mantém cada criatura em estado de permanente terror. Mas os membros de sua espécie que vivem nessa comunidade não a veem assim, e preferem lutar até a morte a separar-se dela.

"Na verdade, é uma comunidade organizada. Os vegetais alimentam os herbívoros, que alimentam os predadores, e alguns desses predadores alimentam outros predadores. E os restos alimentam os animais carniceiros, que devolvem ao solo os nutrientes de que as plantas necessitam. É um sistema que funcionou magnificamente durante bilhões de anos. Os cineastas, compreensivelmente, adoram cenas de lutas sangrentas, mas qualquer naturalista lhe dirá que as espécies não estão de modo algum em guerra umas com as outras. A gazela e o leão só são inimigos na cabeça dos Pegadores. O leão que se aproxima de um bando de gazelas não as trucida, como faria um inimigo. Mata uma, não para saciar seu ódio pelas gazelas, mas para saciar sua fome. Depois que o leão fez sua presa, as gazelas continuam a pastar placidamente, com ele bem no meio delas.

"Tudo isso se dá graças a uma lei que é seguida invariavelmente dentro da comunidade. Sem essa lei, a comunidade de fato viveria em caos e rapidamente se desintegraria e desapareceria. O homem deve sua existência a essa lei. Se as espécies ao redor dele não a tivessem respeitado, ele não poderia ter surgido ou sobrevivido. É uma lei que protege não só a comunidade como um todo, mas as espécies dentro da comunidade e até os indivíduos. Está entendendo?"

– Entendo o que está dizendo, mas não imagino qual seja a lei.

– Estou apontando seus efeitos.

– Ah, está bem!

– É a lei que conserva a paz, a lei que não deixa a comunidade se tornar o caos assustador que os Pegadores imaginam que seja. É a lei que fomenta a vida para todos: a vida das folhas, a vida do gafanhoto que come as folhas, a vida da codorna que come o gafanhoto, a vida da raposa que come a codorna, a vida dos corvos que comem a raposa morta.

"Os peixes que abriam caminho até os litorais dos continentes surgiram porque centenas de milhões de gerações de vida antes deles seguiram essa lei, e alguns se tornaram anfíbios seguindo essa lei. E alguns anfíbios se tornaram répteis seguindo essa lei. E alguns répteis se tornaram aves e mamíferos seguindo essa lei. E alguns mamíferos se tornaram primatas seguindo essa lei. E um ramo dos primatas se tornou *Australopithecus* seguindo essa lei. E o *Australopithecus* se tornou o *Homo habilis* seguindo essa lei. E o *Homo habilis* se tornou o *Homo erectus* seguindo essa lei. E o *Homo erectus* se tornou o *Homo sapiens* seguindo essa lei. E o *Homo sapiens* se tornou o *Homo sapiens sapiens* seguindo essa lei.

"E então, há cerca de mil anos, um ramo da família dos *Homo sapiens sapiens* declarou: 'O homem está isento dessa lei. Os deuses não destinaram o homem a ser limitado por ela'. E assim ergueram uma civilização que zombou da lei a cada passo, e ao longo de quinhentas gerações (um piscar de olhos na escala do tempo biológico) esse ramo da família dos *Homo sapiens sapiens* conseguiu levar o mundo inteiro às portas da morte. E qual foi a explicação que deram para essa calamidade?"

– Como?

– O homem viveu de modo inofensivo no planeta por cerca de três milhões de anos, mas os Pegadores conduziram tudo ao ponto do colapso em apenas quinhentas gerações. E que explicação deram para isso?

– Entendi. Explicaram que há algo fundamentalmente errado com as pessoas.

– Não que vocês, Pegadores, possam estar fazendo algo errado, mas que há algo fundamentalmente errado com a própria natureza humana.

– Correto.

– O que acha dessa explicação agora?

– Estou começando a ter dúvidas a esse respeito.

– Ótimo.

3

– Ao mesmo tempo que os Pegadores invadiam o Novo Mundo e começavam a destruir tudo o que viam, os Largadores procuravam uma resposta para esta pergunta: "Há um modo de nos assentarmos que esteja de acordo com a lei que temos seguido desde o início dos tempos?" Não estou dizendo, é claro, que eles formularam conscientemente essa pergunta. Não tinham mais consciência dessa lei do que os primeiros aeronautas tinham das leis da aerodinâmica. Mas estavam às voltas com ela mesmo assim: construindo e abandonando uma engenhoca civilizatória depois da outra, tentando encontrar uma que pudesse voar. Feito desse modo, o trabalho é lento. Se fossem apenas por tentativa e erro, poderiam ter levado mais dez mil anos, ou talvez cinquenta mil anos. Aparentemente, tinham a sabedoria de que não havia pressa. Não *precisavam* começar a voar. Não fazia sentido para eles se entregarem a uma nave civilizatória que claramente conduziria ao desastre, como os Pegadores haviam feito.

Ismael parou de falar e, quando vi que não continuaria, perguntei:

– E agora?

Seu rosto se enrugou num sorriso.

– Agora, você vai embora e só volte quando puder me contar que lei, ou sistema de leis, tem regido a comunidade da vida desde o início.

– Não sei se estou pronto para isso.

– É o que temos feito aqui há alguns dias, se não desde o começo: prepará-lo.

– Mas não saberia por onde começar.

– Sabe, sim. Tem as mesmas três linhas, como no caso dos As, Bs e Cs. A lei que procura tem sido obedecida invariavelmente na comunidade da vida por três bilhões de anos. – Ele indicou com a cabeça o mundo do lado de fora. – E foi assim que *as coisas vieram a ser como são*. Se essa lei não tivesse sido obedecida desde o começo, e a cada geração sucessiva, os mares seriam desertos sem vida e a terra ainda seria apenas poeira soprada pelo vento. Todas as incontáveis formas de vida que você vê aqui vieram a ser seguindo essa lei, e seguindo essa lei o homem veio a ser. E somente uma vez em toda a história deste planeta uma espécie tentou viver desafiando a lei. E não foi a espécie toda, e sim somente um povo, que chamei de Pegadores. Há dez mil anos, esse povo disse: "Basta. Não é destino do homem seguir essa lei", e começou a viver de um modo que desafia a lei em todos os aspectos. Absolutamente tudo o que a lei proibia foi incorporado em sua civilização como *política fundamental*. E, agora, depois de quinhentas gerações, estão prestes a pagar o preço que qualquer espécie que contrariasse a lei teria de pagar.

Ismael estendeu a mão aberta.

– Essas linhas deverão ser suficientes.

4

A porta se fechou atrás de mim e lá estava eu. Não podia voltar e não queria ir para casa; então, fiquei plantado no lugar. Minha mente achava-se vazia. Sentia-me deprimido. Sem nenhum motivo racional, consegui até me sentir rejeitado.

As tarefas se acumulavam em casa. Estava atrasado com meu trabalho, perdia prazos. Além de tudo, Ismael me passara uma tarefa que não me enchia de entusiasmo. Como era hora de levar as coisas a sério, fiz algo que raramente faço: saí para tomar um drinque. Precisava falar com alguém, e os bebedores solitários têm sorte nesse ponto: sempre acham alguém para conversar.

Pois bem: o que se escondia por trás daqueles misteriosos sentimentos de depressão e rejeição? E por que haviam emergido naquele dia, em especial? A resposta: naquele dia, em especial, Ismael me mandara trabalhar sozinho. Podia ter-me poupado da investigação que me aguardava, mas decidiu não fazê-lo. Portanto, o que eu sentia era uma forma de rejeição.

É claro que era infantil perceber a situação desse modo, mas nunca afirmei ser perfeito.

Mas não era só isso, pois ainda me sentia deprimido. Um segundo *bourbon* me ajudou a descobrir o motivo: eu estava fazendo progressos. Isso mesmo. Era essa a fonte da minha depressão.

Ismael tinha um programa de estudos. Era natural, por que não teria? Desenvolvera seu programa ao longo de vários anos, trabalhando com um aluno depois do outro. Fazia sentido. É preciso ter um plano. Começa-se aqui, avança-se até certo ponto, depois até outro, e mais outro, até que, *voilà!* Um belo dia, chega-se ao fim. Obrigado pela sua atenção, tenha sorte na vida e feche a porta ao sair.

Em que ponto estaria eu? Já teria percorrido metade do caminho? Um terço? Um quarto? De qualquer modo, cada avanço me aproximava do momento de sair da vida de Ismael.

Qual o melhor adjetivo negativo para descrever minha atitude diante da situação? Egoísta? Possessivo? Mesquinho? Qualquer que fosse, eu o assumiria e não procuraria desculpas.

Precisava admitir: não queria um simples professor. Queria um professor vitalício.

OiTo

1

Levei quatro dias para encontrar a lei. Passei um dia me convencendo de que não a encontraria, dois dias procurando-a e um dia me certificando de que a encontrara. No quinto dia, fui ver Ismael. Antes de entrar em sua sala, ensaiei mentalmente o que diria. Ou seja:

"Acho que entendi por que insistiu para que eu descobrisse sozinho."

Despertei dos meus pensamentos e, por um momento, fiquei desorientado. Esquecera o que me aguardava: a sala vazia, a cadeira solitária, o painel de vidro e o par de olhos luminosos por trás dele.

Disse apenas um trêmulo e estúpido "olá".

Então, Ismael fez algo que nunca fizera. À guisa de saudação, levantou o lábio superior exibindo uma fileira de maciços dentes cor de âmbar.

Apressei-me a me sentar e esperei como um colegial até que me indicasse que podia falar. – Acho que entendi por que insistiu para que eu descobrisse sozinho – disse-lhe eu. – Se tivesse me poupado o trabalho e me mostrado o que os Pegadores fazem que nunca se faz na comunidade natural, eu teria dito: "É claro, mas e daí? Grande coisa".

Ismael resmungou:

– O óbvio pode ser iluminador quando percebido de modo incomum.

– Já vi que é seu forte.

– Chega de conversa, prossiga.

– Certo. Segundo meu raciocínio, há quatro coisas que os Pegadores fazem que nunca se faz no resto da comunidade, e são todas fundamentais para seu sistema de civilização. Primeiro, exterminam seus concorrentes, algo que nunca ocorre na selva. Na selva, os animais defendem seus territórios e suas presas, invadem os territórios de seus concorrentes e confiscam suas presas. Algumas espécies chegam a incluir concorrentes entre suas presas, mas nunca os caçam apenas para matá-los, como os agricultores e fazendeiros fazem com os coiotes, raposas e corvos. O que eles caçam, eles comem.

Ismael assentiu com um gesto de cabeça.

– Embora o que diga seja verdade, é preciso notar que os animais também matam para se defender, ou até mesmo quando se sentem ameaçados. Por exemplo, os babuínos podem atacar um leopardo que não os atacou. Mas o importante é que os babuínos só saem em busca de alimento, e nunca de leopardos.

– Não sei se entendi.

– Quero dizer que, quando falta comida, os babuínos se organizam para encontrar alimento, mas, quando faltam leopardos, nunca se organizam para encontrar leopardos. Em outras palavras, é como você disse: quando os animais caçam, até os extremamente agressivos como os babuínos, têm como objetivo se alimentar, e não exterminar concorrentes ou mesmo animais que os caçam.

– Sim, agora entendo o que está dizendo.

– E como pode ter certeza de que essa lei é seguida invariavelmente? Quero dizer, excluindo o fato de que nunca observamos concorrentes exterminando um ao outro no que você chama de "selva".

– Se não fosse invariavelmente seguida, as coisas não teriam vindo a ser como são, para usar suas palavras. Se os concorrentes caçassem uns aos outros só para se matar entre si, não *haveria* concorrentes. Haveria simplesmente uma espécie em cada nível de competição: a mais forte.

– Prossiga.

– A segunda coisa é que os Pegadores destroem sistematicamente o alimento dos concorrentes para abrir espaço para o seu. Nada parecido ocorre na comunidade natural. A regra lá é: pegue o que você precisa e não mexa no resto.

Ismael assentiu com um movimento de cabeça.

– A terceira coisa é que os Pegadores barram o acesso de seus concorrentes ao alimento. Na selva, a regra é: pode barrar aos seus concorrentes o acesso a seu alimento, mas não pode barrar o acesso ao alimento de modo geral. Em outras palavras, você pode dizer: "Esta gazela é minha", mas não pode dizer: *"Todas* as gazelas são minhas". O leão defende a posse de sua presa, mas não defende a posse de todo o rebanho.

– Sim, é verdade. Mas suponha que alguém tenha criado um rebanho próprio, digamos, desde o início. Poderia defender a posse desse rebanho?

– Não sei. Suponho que sim, desde que não pretenda que todos os rebanhos do mundo sejam seus.

– E quanto a barrar o acesso dos concorrentes à sua plantação?

– É a mesma coisa... *Nossa* política é: cada metro quadrado deste planeta pertence a nós; logo, se resolvermos cultivá-los todos, azar de nossos concorrentes: vão se tornar extintos. Nossa política é barrar o acesso de nossos concorrentes a *todo o alimento do mundo*, algo que obviamente nenhuma outra espécie faz.

– As abelhas barram nosso acesso ao que está dentro da colmeia na macieira, mas não barram nosso acesso às maçãs.

– Isso mesmo.

– Ótimo. Mas disse que há uma quarta coisa que os Pegadores fazem que nunca se faz na selva, como prefere chamar.

– Sim. Na selva, o leão mata uma gazela e a come. Ele não mata uma segunda gazela e a guarda para o futuro. O cervo come a grama que encontra. Não corta a grama e a guarda para o inverno. Mas são coisas que os Pegadores fazem.

– Você não parece tão seguro dessa vez.

– Não *tenho* tanta certeza. *Há* espécies que armazenam alimento, como as abelhas, mas a maioria não faz isso.

– Nesse caso, você não percebeu o óbvio. Toda criatura viva armazena alimento. Do modo mais simples, o armazenam no corpo, como fazem os leões, os cervos e as pessoas. Mas isso não condiz com a adaptação de outros animais, que precisam armazenar alimentos também externamente.

– Sim, compreendo.

– Não é proibido armazenar alimentos. Nem poderia ser, pois é o que faz o sistema todo funcionar: as plantas armazenam alimento para os herbívoros, os herbívoros armazenam alimento para os predadores, e assim por diante.

– É verdade. Não tinha visto por esse ângulo.

– Há mais alguma coisa que os Pegadores fazem que nunca é feito na comunidade da vida?

– Não, que eu saiba. Não que pareça relevante para o funcionamento da comunidade.

2

– A lei que descreveu de modo tão admirável define os limites da competição na comunidade da vida. Podemos competir até onde nossa capacidade permitir, mas não podemos caçar nossos adversários para destruir seus alimentos ou barrar-lhes o acesso ao alimento. Em outras palavras, podemos competir, mas não guerrear.

– Sim. Como você disse, é uma lei que conserva a paz.

– E qual é o efeito da lei? O que ela promove?

– Bem... promove ordem.

– Sim, mas estou pensando em outra coisa. O que teria acontecido se essa lei tivesse sido rechaçada há dez milhões de anos? Como seria a comunidade?

– Mais uma vez, digo que haveria apenas uma forma de vida em cada nível de competição. Se todos os que competem pela vegetação tivessem guerreado durante dez milhões de anos, a esta altura já teria emergido um vencedor. Ou talvez houvesse um inseto vencedor, uma ave vencedora, um réptil vencedor, e assim por diante. O mesmo valeria para todos os níveis.

– Logo, a lei promove o quê?

– Bom... paz.

– Pense. Qual é a diferença entre a comunidade que acabou de descrever e a comunidade como ela é?

– Parece-me que a comunidade que descrevi consistiria em poucas dúzias ou em poucas centenas de espécies diferentes. A comunidade como ela é consiste em milhões de espécies.

– Então, o que a lei promove?

– Diversidade.

– É claro! E qual é a vantagem da diversidade?

– Não sei. Certamente, é mais... interessante.

– O que haveria de errado com uma comunidade global que consistisse apenas em grama, gazelas e leões? Ou com uma comunidade global que consistisse apenas em arroz e seres humanos?

Olhei para o alto e pensei.

– Diria que uma comunidade assim seria frágil ecologicamente. Seria altamente vulnerável. Qualquer mudança nas condições existentes causaria um colapso total.

Ismael aprovou com um gesto de cabeça.

– A diversidade é um fator de sobrevivência *para a própria comunidade*. Uma comunidade de cem milhões de espécies pode sobreviver a quase tudo, exceto a uma catástrofe global. Entre esses cem milhões de espécies existem centenas de milhares capazes de sobreviver a uma queda global de temperatura de vinte graus: o que seria muito mais devastador do que parece. Entre esses cem milhões de espécies, existem centenas de milhares que podem sobreviver a uma elevação de temperatura de vinte graus. Mas uma comunidade de cem espécies ou de mil espécies não tem quase nenhum valor de sobrevivência.

– É verdade. E a diversidade é exatamente o que está sob ameaça hoje. Todos os dias, dezenas de espécies desaparecem como resultado direto de os Pegadores não respeitarem a lei ao competir.

– Agora que sabe que há uma lei em ação, vê de modo diferente o que está acontecendo?

– Sim. Já não acho que se trate de uma falha. Não estamos destruindo o mundo porque somos ineptos. Estamos destruindo o mundo porque, literal e deliberadamente, estamos em guerra com ele.

– Como você explicou, a comunidade da vida seria destruída se todas as espécies se eximissem de seguir as regras de competição estabelecidas pela lei. Mas o que aconteceria se apenas *uma* espécie se eximisse?

– Sem ser o homem?

– Sim. Claro que essa espécie precisaria de astúcia e determinação quase humanas. Imagine que você seja uma hiena. Por que dividiria sua caça com aqueles leões preguiçosos e dominadores? É sempre a mesma coisa: é só você matar uma zebra que chega um leão, tira-a de você e se farta enquanto você observa de longe, esperando pelos restos. Isso é justo?

– Pensei que fosse o contrário: os leões caçam e as hienas os incomodam.

– Os leões também caçam, é claro, mas não hesitam em se apropriar da caça alheia quando podem.

– Entendi.

– Você já não aguenta mais os leões. Qual é a solução?

– Exterminá-los.

– E qual seria a consequência disso?

– Bom, acabariam as importunações.

– O que os leões comiam?

– As gazelas, as zebras, ou seja, a caça.

– Agora não há mais leões. Como isso afeta vocês?

– Sei aonde quer chegar. Há mais caça para nós.

– E o que acontece quando há mais caça para vocês?

Olhei para ele inexpressivamente.

– Muito bem, pensei que conhecesse o abecê da ecologia. Na comunidade natural, sempre que a quantidade de alimento de uma população aumenta, a própria população aumenta. Quando a população aumenta, a quantidade de alimento diminui e, quando a quantidade de alimento diminui, a população diminui. A interação de espécies que servem de alimento e espécies que se alimentam delas é o que mantém tudo em equilíbrio.

– Eu *sabia* disso. Só que não pensei.

– Bom, então pense – disse Ismael, franzindo a testa.

– Está bem – concordei, com uma risada. – Com o fim dos leões, sobra mais alimento para nós, hienas, e nossa população aumenta. Aumenta até o ponto em que a caça começa a faltar, e então nosso número diminui.

– Diminuiria, em circunstâncias normais. Mas vocês mudaram as circunstâncias. Decidiram que a lei da competição limitada não se aplica às hienas.

– Certo. Então, destruímos nossos adversários.

– Não me obrigue a arrancar de você uma palavra de cada vez. Quero que você desenvolva todo o argumento.

– Certo, vejamos... Depois que matamos nossos adversários... nossa população cresce até que a caça começa a faltar. Não há mais adversários a matar, logo temos que aumentar a população dos animais de que nos alimentamos... Não imagino as hienas criando rebanhos.

– Vocês mataram seus adversários, mas sua caça também tem adversários, com quem compete pela vegetação. São seus adversários indiretos. Mate-os e sobrará mais vegetação para sua caça.

– Certo. Mais vegetação para a caça significa mais caça, mais caça significa mais hienas, mais hienas significa... Restou algo para matar?

Ismael se limitou a erguer as sobrancelhas.

– Não restou nada para matar. Pense.

Foi o que fiz.

– Certo, matamos nossos adversários diretos e nossos adversários indiretos. Agora, podemos matar nossos adversários duplamente indiretos: as plantas que competem com a grama por espaço e luz do sol.

– Isso mesmo. Assim haverá mais alimento para sua caça e mais caça para vocês.

– Engraçado... Esse trabalho é considerado quase sagrado pelos fazendeiros e agricultores. Matar o que não podemos comer. Matar tudo o que come o que comemos. Matar tudo o que não alimenta o que comemos.

– *É* uma tarefa sagrada para a cultura dos Pegadores. Quanto mais adversários destruir, mais humanos poderão vir ao mundo, e isso é uma das tarefas mais sagradas que podem existir. Uma vez isentos da lei da competição limitada, tudo no mundo, exceto seu alimento e o alimento do seu alimento, torna-se um inimigo a ser exterminado.

4

– Como vê, uma espécie que não se sujeita à lei causa o mesmo efeito, em última análise, que se todas as espécies não se sujeitassem. O resultado é uma comunidade em que a diversidade é progressivamente destruída com o fim de sustentar a expansão de uma única espécie.

– Sim. Os Pegadores só podiam terminar desse jeito: constantemente eliminando adversários, constantemente aumentando a quantidade de alimentos e constantemente sem saber o que fazer com a explosão populacional. Como foi que disse outro dia? Algo sobre o aumento da produção de alimentos para sustentar o aumento de uma população.

– "O aumento da produção para sustentar o aumento de uma população leva a um aumento ainda maior da população." Peter Farb disse isso em seu livro *Humankind*.

– Você disse que é um paradoxo?

– Não, *ele* disse que é um paradoxo.

– Por quê?

Ismael encolheu os ombros.

– Deve saber que qualquer espécie na natureza invariavelmente se expande à medida que a quantidade de alimento se expande. Mas, como sabe, a Mãe Cultura ensina que tais leis não se aplicam aos homens.

– É verdade.

5

– Tenho uma pergunta – disse eu. – Enquanto falávamos dessas coisas, fiquei pensando se a própria agricultura não seria contrária a essa lei. Quero dizer, ela parece contrária à lei por definição.

– E seria, se a única definição para ela fosse a dos Pegadores. Mas há outras. A agricultura não precisa ser uma guerra contra todas as formas de vida que não a auxiliam.

– Acho que meu problema é este: a comunidade biológica é uma economia, não é? Se começarmos a tirar mais para nós, consequentemente haverá menos para alguém, ou para *alguma coisa*. Não é mesmo?

– Sim. Mas por que falou em pegar mais para si? Para que isso?

– Bem, essa é a base da colonização. Não pode haver colonização sem agricultura.

– Mas é o que deseja?

– O que mais poderia desejar?

– Deseja crescer a ponto de poder dominar o mundo e cultivar cada metro quadrado do solo e forçar todos a serem agricultores?

– Não.

– Sabe que é isso que os Pegadores fizeram, e ainda fazem. É isto que seu sistema agrícola tem como fim promover: não só a colonização, mas o *crescimento*. Crescimento ilimitado.

– Está bem, mas tudo o que quero é colonização.

– Então, não precisa entrar em guerra.

– Mas o problema permanece: se quero colonização, preciso ter mais do que tinha antes, e esse "mais" tem de vir de algum lugar.

– Sim, é verdade, e entendo sua dificuldade. Em primeiro lugar, a colonização não é, de modo algum, uma adaptação exclusivamente humana. De imediato, não consigo lembrar de nenhuma espécie que seja *totalmente* nômade. Sempre há um território, uma área de alimentação, uma área de desova, uma colmeia, um ninho, um poleiro, um covil, um buraco, uma toca. E há graus variáveis de assentamento entre os animais, assim como entre os seres humanos. Mesmo os caçadores-coletores não são totalmente nômades, e existem estados intermediários entre eles e os povos puramente agrícolas. Há caçadores-coletores que fazem extrativismo intensivo, que colhem e armazenam estoques de alimento que lhes permitem se assentar um pouco mais. Depois há os semiagricultores, que plantam pouco e colhem muito. E há os quase agricultores, que plantam muito e extraem pouco. E assim por diante.

– Mas isso não resolve o problema central – protestei.

– Esse *é* o problema central, mas você está condicionado a ver o problema apenas de um modo. Não está percebendo o seguinte: quando o *Homo habilis* surgiu em cena, e esse modo de adaptação que chamamos de *Homo habilis* surgiu em cena, *algo* teve de ceder espaço para ele. Não estou dizendo que outra espécie precisou se extinguir. Estou dizendo que, desde que surgiu, o *Homo habilis* entrou em competição com *algo*. E não com uma coisa só, mas com milhares: todas precisaram se reduzir em algum grau para que o *Homo habilis* pudesse viver. Isso é verdade para todas as espécies que vivem neste planeta.

– Continuo sem entender o que isso tem a ver com assentamento.

– Não está me ouvindo. O assentamento é uma adaptação biológica praticada até certo grau por *todas* as espécies, incluindo a humana. E *todo* modo de adaptação se mantém em competição com os modos de adaptação ao seu redor. Em outras palavras, o assentamento humano não é *contra* as leis da competição, e sim *sujeito* a elas.

– Certo, agora entendi.

6

– Portanto, o que acabamos de descobrir?

– Descobrimos que qualquer espécie que não se sujeita às regras da competição acaba destruindo a comunidade para sustentar sua própria expansão.

– Qualquer espécie? Incluindo o homem?

– Sim, obviamente. Na verdade, é o que acontece agora.

– Então, está vendo que pelo menos isso não é uma perversidade misteriosa, própria da raça humana. Não é alguma imponderável falha humana que tornou os povos de sua cultura os destruidores do mundo.

– Não, isso também aconteceria com qualquer espécie, ou com qualquer espécie forte o bastante para levar isso a cabo. Desde que todo aumento na oferta de alimentos tenha como consequência um aumento da população.

– Dada uma oferta de alimentos maior, qualquer população aumentará. Isso vale para qualquer espécie, incluindo a humana. Os Pegadores vêm provando isso há dez mil anos. Há dez mil anos eles vêm aumentando constantemente a produção de alimentos para alimentar uma população crescente e, sempre que fizeram isso, a população cresceu ainda mais.

Fiquei imóvel por um minuto, pensando. Depois disse:

– A Mãe Cultura não concorda.

– Claro que não. Não duvido que discorde veementemente. O que ela diz?

– Diz que temos condições de aumentar a produção de alimentos *sem* aumentar a população.

– Com que fim? Para que aumentar a produção de alimentos?

– Para alimentar os milhões que têm fome.

– E, alimentando-os, extrairá deles a promessa de que deixarão de se reproduzir?

– Bem... Não, isso não faz parte do plano.

– Então, o que acontecerá se alimentar os milhões de famintos?

– Irão se reproduzir e nossa população aumentará.

– Invariavelmente. É um experimento que tem sido realizado anualmente em sua cultura há dez mil anos, com resultados totalmente previsíveis. Aumentar a produção de alimentos para alimentar uma população crescente resulta em outro aumento populacional. O resultado óbvio é esse, e prever qualquer outro é simplesmente se perder em fantasias biológicas e matemáticas.

– Assim mesmo... – Pensei mais um pouco. – A Mãe Cultura diz que, se isso acontecer, o controle demográfico solucionará o problema.

– Sim. Se você for tolo a ponto de discutir esse assunto com seus amigos, verá que darão um grande suspiro de alívio ao lembrar-se desse argumento: "Ufa! Saímos do aperto". É como o alcoólatra que jura que deixará de beber antes que a bebida acabe com sua vida. O controle demográfico global sempre é deixado para o futuro. Foi deixado para o futuro quando vocês eram três bilhões em 1960. Agora, quando são cinco bilhões, continua sendo deixado para o futuro.

– É verdade. No entanto, *não* é impossível.

– Sem dúvida. Mas não enquanto encenarem essa história em particular. Enquanto encenarem essa história, continuarão a reagir à fome aumentando a produção de alimentos. Já viu os anúncios dos grupos que enviam alimentos para os povos famintos do mundo?

– Sim.

– Já viu anúncios de algum grupo que envia anticoncepcionais para algum lugar?

– Não.

– Nunca. A Mãe Cultura tem dois pesos e duas medidas nessa questão. Quando lhe falamos da *explosão populacional*, ela responde com *controle populacional global*, mas, quando lhe falamos de *fome*, ela responde com *aumento da produção de alimentos*. Na verdade, porém, o aumento da produção de alimentos é um acontecimento anual, e o controle populacional global é algo que jamais acontece.

– É verdade.

– Em sua cultura como um todo, não há de fato nenhum esforço significativo pelo controle populacional global. É preciso entender que nunca haverá tal esforço enquanto estiverem encenando uma história que diz que os deuses fizeram o mundo para que o homem o usasse como bem entendesse. Enquanto encenarem essa história, a Mãe Cultura exigirá aumento de produção para hoje, prometendo controle populacional para amanhã.

– Sim, compreendo. Mas tenho uma pergunta.

– Diga.

– Sei o que a Mãe Cultura diz sobre a fome. Mas o que *você* diz?

– Eu? Não digo nada, exceto que sua espécie não está isenta da realidade biológica que governa todas as outras espécies.

– Mas como isso se aplica à fome?

– A fome não é exclusividade dos homens. Todas as espécies estão sujeitas a ela, em qualquer parte do mundo. Quando a população de qualquer espécie ultrapassa seus recursos alimentares, diminui até recuperar o equilíbrio com seus recursos. A Mãe Cultura diz que os humanos devem ser isentos desse processo e, quando encontra uma população que ultrapassou seus recursos, ela se apressa em buscar alimentos de fora, garantindo que haverá mais pessoas ainda morrendo de fome na próxima geração. Como nunca se permite que a população se reduza a ponto de poder ser sustentada por seus próprios recursos, a fome se torna um fator crônico de suas vidas.

– Há alguns anos, li uma história num jornal sobre um ecologista que defendeu o mesmo argumento numa conferência sobre a fome. Pularam em seu pescoço. Foi praticamente acusado de assassino.

– Sim, posso imaginar. Seus colegas do mundo todo entenderam perfeitamente o que ele dizia, mas têm o bom senso de não contestar a Mãe Natureza no seio de sua benevolência. Se há quarenta mil pessoas numa área que só pode sustentar trinta mil, não é bondade nenhuma trazer comida de fora para manter seu número. Isso só garante a continuidade da fome.

– É verdade. Assim mesmo, é duro ficar sentado vendo essas pessoas morrerem de fome.

Ismael protestou com um rugido.

– Quem falou em sentar e vê-las morrerem de fome? Se pode levar comida até a área, também pode tirar as pessoas de lá, não é?

– Suponho que sim.

– E levá-las até alguma parte do mundo onde haja comida em abundância. Como a Itália, o Havaí, a Suíça, Nebraska, Oregon, o País de Gales.

– Duvido que essa ideia recebesse muito apoio.

– Preferem exercer sua filantropia deixando quarenta mil pessoas num estado de fome crônica.

– Infelizmente é assim.

– Grande benevolência.

7

– Como vê, deixei um livro ao lado de sua cadeira – avisou Ismael.

Era uma edição de *The American heritage book of Indians*.

– Já que estamos falando de controle populacional, há um mapa das localizações das tribos no começo que poderá esclarecê-lo.

Depois que o examinei por algum tempo, ele me perguntou qual era minha impressão.

– Não sabia que havia tantas tribos. Tantos povos diferentes.

– Nem todas estiveram aí ao mesmo tempo, mas a maioria esteve. Gostaria que pensasse no que limitou o crescimento delas.

– Como o mapa pode ajudar?

– Queria que visse que este continente estava longe de ser despovoado. O controle populacional não era um luxo, e sim uma necessidade.

– Certo.

– Teve alguma ideia?

– Olhando para o mapa? Sinto dizer que não.

– Diga-me o seguinte: o que as pessoas de sua cultura fazem quando se cansam de viver nas áreas populosas do nordeste?

– Fácil: elas se mudam para o Arizona, para o Novo México ou para o Colorado. A amplidão do oeste.

– E os Pegadores que vivem nos amplos espaços abertos gostam disso?

– Odeiam. Põem adesivos em seus carros que dizem: "Se ama o Novo México, volte para o lugar de onde veio".

– Mas eles não voltam.

– Não, e mais gente continua chegando.

– Por que os Pegadores não interrompem esse fluxo? Por que não limitam o crescimento populacional do nordeste?

– Não sei. Não vejo como poderiam.

– Então, há um crescimento incontrolável numa parte do país, que ninguém se preocupa em estancar porque o excesso pode ser despejado na amplidão do oeste.

– Isso mesmo.

– Mas todos esses Estados têm fronteiras. Por que essas fronteiras não os impedem de entrar?

– Porque são linhas imaginárias.

– Exatamente. Tudo o que é preciso fazer para se transformar num cidadão do Arizona é atravessar essa linha imaginária e se estabelecer. Mas é importante notar que, ao redor de todos os povos Largadores desse mapa, havia uma fronteira que não era nada imaginária: uma fronteira cultural. Se os navajos se sentissem encurralados, não podiam declarar: "Ora, os hopis têm um vasto espaço aberto. Vamos nos mudar para lá e virar hopis". Tal coisa teria sido impensável. Ou seja, os nova-iorquinos podem resolver seus problemas populacionais virando cidadãos do Arizona, mas os navajos não podiam resolver seus problemas virando hopis. Não havia a opção de cruzar essas fronteiras culturais.

– É verdade. Por outro lado, os navajos podiam cruzar a fronteira *territorial* hopi sem cruzar sua fronteira cultural.

– Quer dizer que podiam invadir o território hopi. Sim, sem dúvida. Mas o meu argumento ainda vale. Se cruzassem o território hopi, em vez de lhes dar um formulário para preencher, eles os matariam. Isso funcionava muito bem. Dava às pessoas um poderoso incentivo para limitar seu crescimento.

– Sim, há esse lado.

– Esses povos não limitavam seu crescimento para benefício da humanidade ou do meio ambiente. Limitavam seu crescimento porque, na maioria dos casos, era mais fácil do que entrar em guerra com os vizinhos. Mas é claro que alguns não faziam o menor esforço para limitar seu crescimento, já que não se incomodavam em entrar em guerra com os vizinhos. Não quero sugerir que fosse o reino pacífico de um sonho utópico. Num mundo onde nenhum Grande Irmão controla o comportamento de todos, nem garante o direito de propriedade de todos, é bom ter fama de destemido e feroz. E não se ganha essa fama mandando aos vizinhos mensagens sumárias. É preciso que saibam exatamente o que os espera se não limitarem seu crescimento e se invadirem território alheio.

– Sim, entendo. Eles se limitavam mutuamente.

– Mas não só erguendo fronteiras territoriais impenetráveis. Suas fronteiras culturais eram impenetráveis também. O excedente de população dos narragansetts não podia simplesmente arrumar as malas e virar cheyenne no oeste. Os narragansetts precisavam ficar onde estavam e limitar sua população.

– Sim, é outro caso em que a diversidade parece dar mais certo do que a homogeneidade.

8

– Há uma semana – lembrou Ismael –, quando falávamos sobre leis, você disse que havia apenas um tipo de lei sobre como viver: o que se podia mudar pelo voto. O que acha agora? As leis que governam a competição na comunidade podem ser mudadas pelo voto?

– Não. Mas não são absolutas, como as leis da aerodinâmica. Podem ser violadas.

– As leis da aerodinâmica não podem ser violadas?

– Não. Se um avião não for construído de acordo com as leis, ele não voa.

– Mas se o empurrar de um penhasco, ele fica no ar, não é?

– Por algum tempo.

– O mesmo vale para uma civilização que não foi erguida de acordo com a lei da competição limitada. Fica no ar por algum tempo e depois despenca e se choca contra o solo. Não é o que as pessoas de sua cultura estão enfrentando? Um choque?

– Sim.

– Perguntarei de outro modo. Tem certeza de que qualquer espécie que não se sujeite sistematicamente à lei da competição limitada acabará por destruir a comunidade para sustentar sua expansão?

– Sim.

– Então, o que acabamos de descobrir?

– Descobrimos um conhecimento exato de como as pessoas deviam viver. De como devem viver.

– Conhecimento que, uma semana atrás, você afirmou ser inalcançável.

– Sim, mas...

– Mas?

– Não vejo como... Espere um minuto.

– Não se apresse.

– Não vejo como tornar isso uma fonte de conhecimento *geral*. Quero dizer, não vejo modo algum de aplicar esse conhecimento de modo geral, para outras questões.

– As leis da aerodinâmica ensinam como restaurar genes defeituosos?

– Não.

– Então, para que servem?

– Possibilitam que voemos.

– A lei que esboçamos aqui possibilita que as espécies vivam, que sobrevivam, incluindo a espécie humana. Não diz se as drogas que alteram a percepção devem ou não ser legalizadas. Não diz se o sexo antes do casamento é bom ou ruim. Não diz se a pena de morte é certa ou errada. Mas *diz* como vocês devem viver se quiserem evitar a extinção, e esse é o primeiro e mais fundamental conhecimento de que precisam.

– É verdade. Assim mesmo...

– Sim?

– Assim mesmo, as pessoas de minha cultura não aceitariam.

– Quer dizer que as pessoas de sua cultura não aceitariam o que aprendeu aqui?

– Isso mesmo.

– Vamos esclarecer o que aceitariam ou não aceitariam. A lei em si está além de discussões. Está lá, perfeitamente visível na comunidade da vida. O que os Pegadores não aceitariam é que ela se aplica à humanidade.

– Isso mesmo.

– O que não deveria surpreender. A Mãe Cultura poderia aceitar o fato de que a moradia do homem não é o centro do universo. Poderia aceitar o fato de que o homem evoluiu do lodo comum. Mas nunca aceitará o fato de que o homem não está isento da lei que mantém a paz na comunidade da vida. Pois aceitá-la a destruiria.

– Então, o que está dizendo? Que não há saída?

– Absolutamente. É claro que a Mãe Cultura *deve* ser destruída para que vocês sobrevivam, e é algo de que as pessoas de sua cultura são capazes. Ela não existe fora de suas mentes. Se pararem de lhe dar ouvidos, ela deixará de existir.

– É verdade. Mas não acho que deixarão isso acontecer.

Ismael encolheu os ombros.

– Então, a lei fará isso por elas. Se se recusarem a viver segundo a lei, simplesmente deixarão de viver. Pode-se dizer que é uma das operações básicas da lei. Aqueles que ameaçam a estabilidade da comunidade ao desafiarem a lei automaticamente eliminam a si mesmos.

– Os Pegadores jamais aceitarão isso.

– Não se trata de aceitar ou não. É como um homem que se joga de um penhasco, mas não aceita a lei da gravidade. Os Pegadores estão num processo de autodestruição e, quando o completarem, a estabilidade da comunidade será restabelecida e o estrago que causaram começará a ser consertado.

– É verdade.

– Por outro lado, você não tem motivo para ser tão pessimista. Acho que há muita gente por aí que sabe que o caldo vai entornar e espera ouvir algo de novo, que *deseja* ouvir algo de novo, assim como você.

– Espero que tenha razão.

9

– Não estou totalmente satisfeito com a nossa formulação da lei – declarei.

– Não?

– Falamos como se fosse uma só lei, mas na verdade são três. Seja como for, eu descrevi três leis.

– As três leis são os galhos. Estamos procurando o tronco, que é algo assim: "Nenhuma espécie pode se apoderar da vida que há no mundo".

– Sim, é isso que garante as regras da competição.

– Essa é uma formulação da lei. Eis outra: "O mundo não foi feito para nenhuma espécie em particular".

– Sim. Logo, o homem certamente não foi feito para conquistá-lo nem governá-lo.

– Deu um salto grande demais. Na mitologia dos Pegadores, o mundo precisava de um governante porque os deuses o tornaram uma confusão. Haviam criado uma selva, um caos assustador, uma anarquia. Mas era assim, de fato?

– Não, tudo estava em perfeita ordem. Foram os Pegadores que introduziram a desordem no mundo.

– O governo da lei foi e ainda é suficiente. Não era preciso que a humanidade trouxesse ordem ao mundo.

– Isso mesmo.

10

– As pessoas de sua cultura se agarram com uma tenacidade fanática à ideia de que o homem é especial. Querem desesperadamente perceber um imenso abismo entre o homem e o resto da criação. Essa mitologia da superioridade humana justifica que façam o que bem quiserem com o mundo, assim como a mitologia de Hitler sobre a superioridade ariana justificou que fizesse o que bem quisesse com a Europa. Mas essa mitologia não é muito satisfatória, afinal. Os Pegadores são um povo profundamente solitário. O mundo, para eles, é um território inimigo, e vivem em todos os lugares como um exército de ocupação, alienados e isolados por serem tão extraordinários e superiores.

– É verdade. Mas aonde quer chegar?

Em vez de responder à minha pergunta, Ismael continuou:

– Entre os Largadores, crimes, doenças mentais, suicídios e dependência de drogas são extremamente raros. Como a Mãe Cultura explica isso?

– Deixe-me pensar... A Mãe Cultura diz que os Largadores são primitivos demais para terem essas coisas.

– Em outras palavras, crimes, doenças mentais, suicídios e dependência de drogas são características das culturas avançadas.

– Isso mesmo. Ninguém admite isso, é claro, mas está subentendido. É o preço do progresso.

– Há uma opinião quase oposta que tem tido grande aceitação em sua cultura há cerca de um século. Uma opinião oposta sobre o motivo de esses problemas serem raros entre os Largadores.

Pensei um pouco.

– Está falando do mito do bom selvagem. Não conheço em detalhes.

– Mas tem uma noção dela.

– Sim.

– É a teoria mais aceita em sua cultura. Não a teoria em detalhes, mas somente uma noção.

– É verdade. É a ideia de que quem vive perto da natureza tende a ser bom. O motivo seria assistir a tantos pores do sol e tempestades. Não sei. Não dá para assistir a um por do sol e depois tocar fogo na tenda de seu vizinho. Viver perto da natureza é maravilhoso para a saúde mental.

– Deve compreender que não estou dizendo nada parecido.

– Sim. Mas *o que* está dizendo?

– Vimos a história que os Pegadores estão encenando aqui há dez mil anos. Os Largadores também estão encenando uma história. Uma história não dita, mas encenada.

– Como assim?

– Se visitar vários povos de sua cultura, se for à China, ao Japão, à Rússia, à Inglaterra ou à Índia, ouvirá de cada povo uma descrição completamente diferente de si mesmo. No entanto, estão encenando uma única história básica, que é a história dos Pegadores.

– Certo.

– O mesmo acontece com os Largadores. Os bosquímanos da África, os alawas da Austrália, os crenacarores do Brasil e os navajos dos Estados Unidos fariam uma descrição diferente de si mesmos, mas também estão todos encenando uma mesma história básica, que é a história dos Largadores.

– Vejo aonde quer chegar. Não é a lenda que você conta que conta, mas o modo como efetivamente vivem.

– Isso mesmo. A história que os Pegadores têm encenado aqui durante os últimos dez mil anos não só é desastrosa para a humanidade e para o mundo como é fundamentalmente doentia e insatisfatória. Trata-se de uma fantasia megalomaníaca, que está por trás dessa cultura imersa na cobiça, na crueldade, no desequilíbrio mental, no crime e na dependência de drogas.

– Sim, é o que parece.

– A história que os Largadores vêm encenando durante os últimos três milhões de anos não é uma fábula de domínio e conquista. Encená-la não lhes deu poder. Encená-la lhes deu vidas satisfatórias e significativas. É o que verá se conviver com eles. Não estão agitados pelo tédio e pela revolta, não estão perenemente debatendo o que deveria ser permitido ou proibido, nem se acusam uns aos outros por não viverem do modo correto, nem sentem pavor de seu vizinho, nem enlouquecem porque suas vidas parecem vazias e sem sentido, nem precisam se estupidificar com drogas para suportar os dias, nem inventam uma nova religião a cada semana para terem algo a que se agarrar, nem estão sempre buscando algo para fazer ou em que acreditar que torne suas vidas dignas de ser vividas. E, mais uma vez, isso não é porque vivem perto da natureza ou porque não têm governos formais ou porque sua nobreza é inata. É assim apenas porque estão encenando uma história que dá certo para as pessoas, uma história que deu certo durante três milhões de anos e que continua dando certo onde os Pegadores ainda não conseguiram espezinhá-la.

– Certo, parece fantástico. Quando veremos essa história?

– Amanhã. Pelo menos, começaremos amanhã.

NOVE

1

Quando cheguei, no dia seguinte, vi que um novo plano fora posto em ação. Ismael não estava mais do outro lado do vidro: estava do meu lado da sala, estendido sobre almofadas a poucos metros de minha cadeira. Não havia percebido o quanto aquele painel de vidro se tornara parte de nossa relação. Para ser sincero, a surpresa me fez gelar por dentro. Sua proximidade e tamanho me alarmaram, mas, depois de hesitar por apenas uma fração de segundo, ocupei meu posto e lhe dirigi meu costumeiro aceno de saudação. Ele acenou de volta, mas pensei ter flagrado uma expressão de desconfiada curiosidade em seus olhos, como se minha proximidade o perturbasse tanto como a dele me perturbava.

– Antes de continuarmos – observou ele após algum tempo –, quero esclarecer um conceito errado. – E ergueu uma folha de papel de desenho contendo um diagrama.

```
<─────●────────────────────────●─────>
  3000000      LARGADORES      2000
    a.C.                        d.C.
```

– Não se trata de um esquema muito complicado de entender – comentou ele. – Representa a linha da história dos Largadores.

– Sim, estou vendo.

Acrescentou alguma coisa e ergueu a folha novamente.

– Essa ramificação, que começou há cerca de oito mil anos antes de Cristo, representa a trajetória histórica dos Pegadores.

– Certo.

– E que evento isso representa? – perguntou ele, encostando a ponta do lápis no ponto com a legenda "8000 a.C.".

– A revolução agrícola.

– Esse evento ocorreu em determinado momento ou ao longo de um período?

– Suponho que ao longo de um período.

– Então, esse ponto marcando 8000 a.C. representa o quê?

– O começo da revolução.

– Onde devo colocar o ponto que indica seu término?

– Ora – disse eu, sem fazer ideia. – Não sei. Deve ter durado alguns milhares de anos.

– Que evento marcou o fim da revolução?

– Também não sei. Não sei de nenhum evento em particular que *tenha* marcado seu fim...

– Ninguém estourou champanhe?

– Não sei.

– Pense.

Pensei, e disse após algum tempo:

– Pronto. É estranho não ensinarem isso. Lembro-me de que me ensinaram sobre a revolução agrícola, mas não me lembro disso.

– Continue.

– Ela não terminou, apenas se espalhou. Está se espalhando desde que começou, há dez mil anos. Espalhou-se por este continente durante os séculos 18 e 19. Ainda está se espalhando sobre partes da Nova Zelândia, da África e da América do Sul atualmente.

– É claro! Portanto, percebe que sua revolução agrícola não é um acontecimento como a Guerra de Troia, isolado num passado distante e sem relevância direta para a vida atual. A tarefa iniciada pelos agricultores neolíticos no Oriente Médio foi passada de uma geração a outra sem uma pausa sequer, até o momento presente. É a base de sua vasta civilização atual, da mesma forma que foi a base da primeira aldeia agrícola.

– Sim, compreendo.

– Isso deve ajudá-lo a entender por que a história que contam aos seus filhos sobre o sentido do mundo, sobre as intenções divinas no mundo e sobre o destino do homem é de uma importância tão profunda para as pessoas de sua cultura. É o manifesto da revolução sobre a qual sua cultura está assentada. É o repositório de toda a sua doutrina revolucionária e a expressão definitiva de seu espírito revolucionário. Explica por que a revolução foi necessária e por que deve ser levada adiante qualquer que seja o preço.

– Sim – disse eu. – É um pensamento e tanto.

2

– Há cerca de dois mil anos – prosseguiu Ismael –, um evento profundamente irônico se deu em sua cultura. Os Pegadores, ou pelo menos um segmento muito grande deles, adotaram uma história que lhes pareceu plena de significado e mistério. Vieram a saber dela através de um povo Pegador do Oriente Médio, que a contava para seus filhos desde inúmeras gerações. Tantas gerações, que se tornou um mistério até para eles. Sabe por quê?

– Por que se tornou um mistério? Não.

– Tornou-se um mistério porque os primeiros a contarem a história, seus ancestrais, não eram Pegadores, e sim Largadores.

Fiquei lá sentado, estático, olhando para ele. Perguntei se podia repassar aquela ideia.

– Há cerca de dois mil anos, os Pegadores adotaram como sua uma história que se originara entre os Largadores muitos séculos antes.

– Tudo bem. Mas onde está a ironia?

– A ironia é que era uma história que os Largadores antigamente contavam sobre as origens dos Pegadores.

– E então?

– Os Pegadores adotaram *como sua* uma história dos Largadores sobre suas origens.

– Acho que não entendi.

– Que tipo de história um povo Largador contaria sobre o aparecimento dos Pegadores no mundo?

– Meu Deus, não faço ideia!

Ismael me olhou, mal-humorado.

– Não tomou sua pílula da esperteza esta manhã? Tudo bem, contarei uma história minha e depois disso entenderá.

– Está bem.

Ismael mudou seu corpo monumental de posição sobre as almofadas. Involuntariamente, fechei os olhos e pensei: "Se um estranho abrisse a porta e entrasse aqui agora, que raio iria pensar?"

3

– É preciso um conhecimento muito especial para governar o mundo – disse Ismael. – Sei que sabe disso.

– Francamente, isso nunca me ocorreu.

– Os Pegadores possuem esse conhecimento, é claro! Pelo menos, imagino que possuem, e se orgulham muito disso. É o conhecimento mais fundamental de todos, absolutamente indispensável para quem quer governar o mundo. E o que os Pegadores descobrem quando visitam os Largadores?

– Não sei o que quer dizer.

– Descobrem que os Largadores não têm esse conhecimento. Não é notável?

– Não sei.

– Reflita. Os Pegadores têm um conhecimento que lhes permite governar o mundo, e os Largadores não o têm. Foi o que os missionários descobriram entre os povos Largadores. Ficaram bastante espantados, pois tinham a impressão de que esse conhecimento fosse virtualmente evidente.

– Nem ao menos sei de que conhecimento está falando.

– Do conhecimento necessário para governar o mundo.

– Certo, mas que conhecimento é esse, exatamente?

– Saberá quando ouvir minha história. Estou me concentrando agora em *quem tem esse conhecimento*. Disse-lhe que os Pegadores o têm, e isso faz sentido, não é? Os Pegadores são aqueles que governam o mundo, não é?

– Sim.

– E os Largadores não têm esse conhecimento, e isso também faz sentido.

– Creio que sim.

– Agora me diga: quem mais teria esse conhecimento, além dos Pegadores?

– Não faço ideia.

– Pense em termos mitológicos.

– Certo... Os deuses o teriam.

– Claro! É sobre isso minha história: como os deuses adquiriram o conhecimento necessário para governar o mundo.

4

Certo dia (começou Ismael), os deuses tratavam da administração do mundo como faziam sempre, e um deles disse:

– Tenho refletido sobre esse local há algum tempo: uma ampla e agradável savana. Enviemos uma grande multidão de gafanhotos para essa terra. Assim, o fogo da vida crescerá prodigiosamente neles, e nos pássaros e lagartos que irão se alimentar deles, e isso será bom.

Os outros consideraram a questão, e um deles declarou:

– Certamente, é verdade que, se enviarmos gafanhotos para essa terra, o fogo da vida arderá neles e nas criaturas que se alimentarem deles, mas à custa de todas as outras criaturas que vivem lá.

Os outros lhe perguntaram qual era sua posição e ele prosseguiu:

– Certamente seria um grande crime privar todas as outras criaturas do fogo da vida para que os gafanhotos, os pássaros e os lagartos possam prosperar por algum tempo. Pois os gafanhotos irão dizimar a vegetação, e os veados, as gazelas e os coelhos morrerão de fome. E, com o desaparecimento da caça, os leões, os lobos e as raposas em breve também morreriam. Não nos amaldiçoarão então, e não nos chamarão de criminosos por preferir os gafanhotos, os pássaros e os lagartos a eles?

Os deuses precisaram quebrar a cabeça, pois nunca tinham considerado a questão por aquela perspectiva. Mas, enfim, um deles disse:

– Penso que isso não representa um grande problema. Basta não fazermos isso. Não reuniremos uma hoste de gafanhotos e não os enviaremos para essa terra, e assim as coisas continuarão como antes, e ninguém terá motivo para nos amaldiçoar.

A maioria dos deuses achou a ideia sensata, mas um deles discordou.

– Certamente, isso seria um crime tão grande quanto o outro – observou. – Os gafanhotos, os pássaros e os lagartos não vivem em nossas mãos, como o resto? Nunca chegará sua hora de prosperarem em abundância, como outros prosperam?

Enquanto os deuses debatiam esse ponto, uma raposa saiu para caçar, e eles disseram:

– Vamos mandar uma codorna para a raposa para que ela se alimente.

Mal essas palavras haviam sido proferidas quando outro deus retrucou:

– Certamente, seria um crime permitir que a raposa viva à custa da codorna. A codorna tem sua vida, que lhe demos, e vive em nossas mãos. Seria infame enviá-la para as mandíbulas da raposa!

Então, outro gritou:

– Olhem lá! A codorna está cercando um grilo! Se não dermos a codorna à raposa, ela comerá o grilo. Mas o grilo não tem sua vida, que lhe demos, e não vive em nossas mãos bem como a codorna? Certamente, seria um crime *não* dar a codorna à raposa, para que assim o grilo possa viver.

Bem, como pode imaginar, os deuses suaram para resolver a questão, sem saber o que fazer. E, enquanto altercavam, a primavera chegou, e um deles declarou:

– Certamente, seria um crime deixar as águas inundarem a terra, pois incontáveis criaturas seriam arrastadas para a morte.

Mas então outro observou:

– Certamente, seria um crime *não* deixar as águas inundarem a terra, pois sem elas os lagos e brejos secariam, e todas as criaturas que vivem neles morreriam.

E novamente os deuses se viram confusos.

Por fim, um deles teve o que pareceu ser uma nova ideia.

– É claro que qualquer decisão que tomarmos será boa para alguns e má para outros; logo, não tomemos decisão nenhuma. Assim, nenhuma das criaturas que vivem em nossas mãos poderá nos chamar de criminosos.

– É absurdo – reagiu outro deus. – Se não tomarmos decisão nenhuma, também será bom para alguns e mau para outros, não é? As criaturas que vivem em nossas mãos dirão: "Vejam, estamos sofrendo e os deuses nada fazem!"

E, enquanto os deuses discutiam, os gafanhotos tomaram conta da savana e, ao lado dos pássaros e dos lagartos, louvaram os deuses, enquanto os predadores e sua caça morriam amaldiçoando os deuses. E, porque os deuses não haviam tomado decisão nenhuma, a codorna viveu e a raposa voltou faminta à sua toca, amaldiçoando os deuses. E, porque viveu, a codorna comeu o grilo, e o grilo morreu amaldiçoando os deuses. E, porque, no final, os deuses decidiram conter a enchente das águas da primavera, os lagos e os brejos secaram, e todos os milhares de criaturas que viviam neles morreram amaldiçoando os deuses.

E, ao ouvirem todas essas maldições, os deuses gemeram:

– Tornamos o jardim um local de terror, e todos os que vivem nele nos condenam como tiranos e criminosos. E têm razão, pois voluntária ou involuntariamente lhes concedemos o bem num dia e o mal no outro, pois não sabíamos o que fazer. Na savana, devastada pelos gafanhotos, ecoam maldições e nada temos a dizer. A raposa e o grilo nos amaldiçoam porque permitimos que a codorna vivesse, e não sabemos o que dizer. Certamente, o mundo todo deve amaldiçoar o dia em que o criamos, pois somos criminosos que concedem o bem e o mal em turnos, enquanto não sabemos o que deve ser feito.

Bem, os deuses chegavam ao auge da degradação moral quando um deles olhou para cima e disse:

– Esperem, não fizemos para o jardim uma certa árvore cujo fruto contém o conhecimento do bem e do mal?

– Sim! – exclamaram os outros. – Vamos encontrar essa árvore e comer seu fruto e obter esse conhecimento.

E, quando os deuses encontraram a árvore e provaram de seu fruto, seus olhos se abriram, e eles disseram:

– De fato, agora temos o conhecimento necessário para cuidar do jardim sem nos tornarmos criminosos e sem merecermos a maldição de todos os que vivem em nossas mãos.

Enquanto assim falavam, um leão saiu para caçar, e os deuses disseram entre si:

– Hoje é dia de o leão passar fome, e o cervo que seria sua presa pode viver mais um dia.

Assim, o leão perdeu sua caça e, ao voltar faminto para a toca, pôs-se a amaldiçoar os deuses. Mas estes disseram:

– Descansa, pois sabemos como governar o mundo, e hoje é teu dia de passar fome.

E o leão descansou.

No dia seguinte, o leão saiu para caçar, e os deuses lhe enviaram o cervo que haviam poupado no dia anterior. E, ao sentir as presas do leão no pescoço, o cervo pôs-se a amaldiçoar os deuses. Mas estes disseram:

– Descansa, pois sabemos como governar o mundo, e hoje é teu dia de morrer, assim como ontem foi teu dia de viver.

E o cervo descansou.

Então, os deuses disseram entre si:

– O conhecimento do bem e do mal é certamente poderoso, pois nos permite comandar o mundo sem nos tornarmos criminosos. Se ontem tivéssemos afastado o leão faminto sem esse conhecimento, então de fato teria sido um crime. E, se tivéssemos hoje mandado o cervo para as garras do leão sem esse conhecimento, teria sido um crime. Mas com esse conhecimento fizemos as duas coisas, uma aparentemente oposta à outra, e não cometemos crime nenhum.

Mas aconteceu de um dos deuses estar fora enquanto os outros comiam da árvore do conhecimento e, quando voltou e ouviu o que os outros haviam feito no caso do leão e do cervo, declarou:

– Ao tomarem essas duas decisões, seguramente cometeram um crime de uma forma ou de outra, pois as duas coisas são opostas e, se uma foi correta, a outra deve ser errada. Se foi bom que o leão passasse fome no primeiro dia, então foi ruim mandar-lhe o cervo no segundo dia. Ou, se foi bom mandar-lhe o cervo no segundo dia, então foi ruim deixá-lo faminto no primeiro.

Os outros concordaram e disseram:

– Sim, teríamos pensado assim antes de comermos da árvore do conhecimento.

– De que conhecimento estão falando? – o deus perguntou, reparando na árvore pela primeira vez.

– Prove de seu fruto – disseram-lhe. – Então, saberá exatamente de que conhecimento se trata.

E assim fez o deus, e seus olhos se abriram.

– Sim, eu vejo – disse ele. – Este é o verdadeiro conhecimento dos deuses: *o conhecimento de quem deve viver e de quem deve morrer.*

5

– Alguma pergunta até agora? – indagou Ismael.

Sobressaltei-me com a interrupção da narrativa.

– Não. Isso é fascinante.

E Ismael prosseguiu.

6

Quando os deuses viram que Adão estava acordando, disseram consigo:

– Eis uma criatura tão semelhante a nós que poderia quase pertencer a nosso meio. Que duração de vida e que destino haveremos de lhe designar?

Um deles opinou:

– É uma criatura tão amável que deveríamos lhe conceder a duração de vida deste planeta. Nos dias de sua infância, cuidaremos dele como cuidamos de todos os outros seres do jardim, para que aprenda a doçura de viver sob nossa proteção. Mas, em sua adolescência, ele certamente passará a perceber que é capaz de bem mais do que as outras criaturas, e haverá de se impacientar com nossos cuidados. Devemos, então, guiá-lo para a outra árvore do jardim, a Árvore da Vida?

Mas outro deus objetou:

– Conduzir Adão como uma criança até a Árvore da Vida antes que tenha sequer começado a buscá-la por si mesmo o privaria de uma grande empreitada e o impediria de adquirir uma importante sabedoria e provar seu mérito por si mesmo. Assim como lhe daremos os cuidados de que precisa durante a infância, concedamos-lhe a busca de que precisa durante a adolescência. Deixemos que a busca da Árvore da Vida seja ocupação de sua adolescência. Assim, descobrirá por si próprio como poderá ter o mesmo tempo de vida do planeta.

Os outros concordaram com o plano, com exceção de um deles:

– Notemos que tal busca poderá ser longa e desnorteante para Adão. A juventude é impaciente e, após alguns milhares de anos, talvez ele se canse de procurar a Árvore da Vida. Se isso acontecer, poderá sentir-se tentado, em vez disso, a provar da Árvore do Conhecimento do Bem e do Mal.

– Isso é um absurdo – discordaram os outros. – Sabes muito bem que o fruto dessa árvore alimenta apenas os deuses. Para Adão, seria o mesmo que comer o capim do gado. Ainda que o levasse à boca e engolisse, percorreria seu corpo sem lhe trazer benefícios. Pensais que ele realmente adquiriria nosso conhecimento se provasse dessa árvore?

– Claro que não – disse o outro. – O perigo não é que adquira nosso conhecimento, e sim que *imagine* que o adquiriu. Tendo provado do fruto da árvore, talvez diga para si: "Provei do próprio fruto do conhecimento, reservado aos deuses, e portanto sei tanto quanto eles como governar o mundo. Posso exercer minha vontade".

– Isso é um absurdo – protestaram os outros deuses. – Acha que Adão seria tolo a ponto de imaginar ter o conhecimento que nos permite governar o mundo e exercer nossa vontade? Nenhuma de nossas criaturas jamais dominará o conhecimento sobre quem deve viver e quem deve morrer. Somente a nós cabe esse conhecimento e, ainda que a sabedoria de Adão aumentasse até o eclipse do universo, ele ainda estaria tão distante desse saber quanto agora.

Mas o outro não se abalou com o argumento.

– Se Adão provar do fruto de nossa árvore – insistiu –, não sabemos o quanto poderá se iludir. Sem saber a verdade, poderá dizer a si mesmo: "Tudo o que me parecer justo fazer é bom e tudo o que não me parecer justo fazer é mau".

Mas os outros zombaram dele:

– Esse não é o conhecimento do bem e do mal.

– Decerto que não – replicou o deus. – Mas como Adão saberia?

Os outros deram de ombros.

– Talvez na infância Adão acredite que é sábio o bastante para governar o mundo, mas e daí? A arrogância e a tolice passarão com a maturidade.

– Ah! – suspirou o outro. – Mas a arrogância e a tolice permitirão que Adão *sobreviva* até a maturidade? Acreditando ser nosso igual, será capaz de tudo. Em sua arrogância, será capaz de olhar para o jardim ao redor e dizer: "Está tudo errado. Por que tenho de repartir o fogo da vida com todas essas criaturas? Vejam como os leões, os lobos e as raposas ficam com a caça que poderia ser minha. Isso é mau. Matarei todas essas criaturas, e isso será bom. E vejam como os coelhos, os gafanhotos e os pardais ficam com os frutos da terra que poderiam ser meus. Isso é mau. Matarei todas essas criaturas, e isso será bom. E vejam como os deuses impuseram um limite para meu crescimento, assim como impuseram um limite para o crescimento de todos os outros. Isso é mau. Crescerei sem limites, tomando para mim todo o fogo da vida que alimenta o jardim, e isso será bom". Digam-me, se fosse assim, quanto tempo Adão viveria antes de devorar o mundo inteiro?

– Se fosse assim – responderam os outros –, Adão devoraria o mundo num único dia e, no final desse dia, devoraria a si mesmo.

– Precisamente – acrescentou o outro –, a não ser que conseguisse escapar deste mundo. Então, devoraria todo o universo, assim como devorou o mundo. Mas, mesmo assim, acabaria inevitavelmente devorando a si mesmo, como ocorre a todos os que crescem sem limites.

– De fato, seria um fim terrível para Adão – observou outro deus. – Mas será que ele não teria esse destino mesmo sem comer da Árvore do Conhecimento do Bem e do Mal? Será que não ficará tentado, graças a seu desejo de crescer, a tomar o fogo da vida em suas próprias mãos, mesmo sem a ilusão de que isso seja bom?

– Pode ser – concordaram os outros. – Mas qual seria o resultado? Ele se tornaria um criminoso, um transgressor, um ladrão de vidas, um assassino das criaturas a seu redor. Sem a ilusão de que o que faz é bom, e portanto deve ser feito a qualquer custo, ele logo se cansaria da vida de transgressor. De fato, isso deve acontecer durante sua busca pela Árvore da Vida. Mas, se ele provar de nossa árvore do conhecimento, então o cansaço não o atingirá. Então dirá: "Que importa se estou farto de viver como o assassino de toda a vida que me cerca? Conheço o bem e o mal, e esse modo de viver é bom. Logo, devo viver assim, mesmo que esteja morto de cansaço, mesmo que destrua o mundo e até a mim mesmo. Os deuses escreveram no mundo uma lei dirigida a todos, mas que não pode se aplicar a mim, pois sou igual a eles. Sendo assim, viverei fora dessa lei e crescerei sem limites. Ser limitado é ruim. Roubarei o fogo da vida das mãos dos deuses e o armazenarei para o meu crescimento, e isso será bom. Destruirei as espécies que não servem a meu crescimento, e isso será bom. E, porque essas coisas são boas, deverão ser feitas a qualquer preço. Pode ser que eu destrua o jardim, que o deixe em ruínas. Pode ser que meus descendentes proliferem sobre a terra como gafanhotos, devastando-a até sufocarem em sua própria sujeira e não suportarem olhar um para o outro e enlouquecerem. Ainda assim deverão prosseguir, pois crescer sem limites é bom e aceitar os limites é ruim. E quem disser: 'Deixemos o fardo dessa vida de crimes e voltemos a viver sob a proteção dos deuses', deverá ser morto, pois o que diz é ruim. E, quando, enfim, todo o jardim estiver submetido ao meu uso, e todas as espécies que não servem ao meu crescimento estiverem eliminadas, e todo o fogo da vida que houver no mundo alimentar minha prole, ainda assim continuarei a crescer. E hei de dizer aos povos vizinhos: 'Crescei, pois isso é bom', e eles crescerão. E, quando o povo desta terra não puder mais crescer, haverá de atacar o povo vizinho e dizimá-lo, para poder crescer ainda mais. E, se os gemidos de minha prole ecoarem pelo ar do mundo todo, haverei de dizer-lhes: 'Deveis suportar o sofrimento, pois é pela causa do bem. Vede como nos tornamos grandes! Com o conhecimento do bem e do mal, fizemos de nós os senhores do mundo, e os deuses perderam o poder sobre nós. Ainda que seus gemidos encham o ar, não é mais doce viver em nossas próprias mãos do que nas mãos dos deuses?'"

E, quando os deuses ouviram isso, viram que, entre todas as árvores do jardim, apenas a Árvore do Conhecimento do Bem e do Mal poderia destruir Adão. E então lhe disseram:

– Pode provar dos frutos de todas as árvores do jardim, exceto do da Árvore do Conhecimento do Bem e do Mal, pois, no dia em que dele provar, certamente perecerá.

7

Permaneci por algum tempo imóvel, aturdido, e então lembrei-me de que vira uma Bíblia na peculiar coleção de livros de Ismael. Na verdade, havia três. Apanhei-as e, após alguns minutos de exame, ergui os olhos e declarei:

– Nenhuma delas comenta o motivo por que a árvore era proibida a Adão.

– Esperava que comentassem?

– Bem... esperava.

– Os textos foram escritos pelos Pegadores, e essa história sempre foi um mistério insondável para eles. Nunca puderam imaginar por que o conhecimento do bem e do mal fora proibido ao homem. Não entende por quê?

– Não.

– Porque, para os Pegadores, esse conhecimento está acima de todos. É aquele que mais benefícios traria ao homem. Sendo assim, por que os deuses o teriam proibido?

– É verdade.

– O conhecimento do bem e do mal é fundamentalmente o conhecimento que os governantes do mundo devem aplicar, já que cada coisa que fazem é boa para alguns e má para outros. É assim com todo governo, não é?

– Sim.

– E o homem nasceu para governar o mundo, não foi?

– Sim, de acordo com a mitologia dos Pegadores.

– Então, por que os deuses negariam ao homem justamente o

conhecimento necessário para o cumprimento de seu destino? Do ponto de vista dos Pegadores, não faz nenhum sentido.

– De fato.

– O desastre ocorreu quando, há dez mil anos, as pessoas de sua cultura disseram: "Somos tão sábios quanto os deuses e podemos governar o mundo tão bem quanto eles". Quando tomaram *em suas próprias mãos* o poder sobre a vida e a morte neste mundo, decretaram sua ruína.

– Sim. Porque de fato não são tão sábios quanto os deuses.

– Os deuses governaram o mundo durante bilhões de anos, e tudo ia bem. Mas bastou poucos milhares de anos sob o domínio humano para que o mundo ficasse à beira da destruição.

– É verdade. Mas os Pegadores nunca desistem.

Ismael deu de ombros.

– Então, morrerão. Como foi previsto. Os autores dessa história sabiam do que falavam.

– Disse que a história foi escrita do ponto de vista dos Largadores?

– Isso mesmo. Se tivesse sido escrita do ponto de vista dos Pegadores, o conhecimento do bem e do mal não teria sido proibido a Adão, e sim *entregue* a ele. Os deuses teriam se reunido ao redor dele dizendo: "Vamos, Homem, não vês que não és nada sem esse conhecimento? Para de viver de nossos favores como o leão ou o vombate. Toma, come deste fruto e logo perceberás que estás nu, tanto quanto os leões e vombates, nu perante o mundo, impotente. Vamos, come deste fruto e torna-te um de nós. Então, bem-aventurado, poderás deixar este jardim e começar a viver do suor de teu rosto, que é como os seres humanos devem viver". E, se os autores tivessem sido membros de sua cultura, esse evento não teria sido chamado "A queda", e sim "A ascensão". Ou, como disse antes, "A liberação".

– Certamente... Mas não entendo bem como isso se encaixa no resto.

– Estamos ampliando seu entendimento de *como as coisas vieram a ser como são*.

– Não vejo como.

– Há um minuto, disse-me que os Pegadores jamais desistirão de sua tirania sobre o mundo, por piores que as coisas fiquem. Por que agem assim?

Para variar, eu não sabia a resposta.

– Agem assim porque sempre acreditaram que faziam o que era *correto* e que assim devia ser feito a qualquer preço. Sempre acreditaram que, como os deuses, sabiam o que era certo fazer e o que era errado fazer. E o que fazem é *correto*. Sabe como demonstraram o que estou dizendo?

– Não assim de improviso.

– Demonstraram isso obrigando todos no mundo a fazer o que *eles* fazem, a viver como *eles* vivem. Todos foram obrigados a viver como os Pegadores, pois a maneira dos Pegadores era a única *correta*.

– Sim, estou entendendo.

– Muitos povos Largadores praticavam a agricultura, mas nunca foram obcecados pela ilusão de que faziam o que era *correto*, de que todos no mundo tinham de praticar a agricultura, que cada metro quadrado do planeta precisava ser submetido a ela. Não diziam a seus vizinhos: "Não podem mais viver da caça e da extração. Isso é errado. Isso é mau e nós o proibimos. Cultivem suas terras ou nós os varreremos do mapa". O que diziam era: "Querem ser caçadores-coletores? Ótimo, não há problema. Nós queremos ser agricultores. Vocês serão caçadores-coletores e nós seremos agricultores. Não fingimos saber qual é o caminho *certo*. Sabemos apenas o que *preferimos*".

– Sim, compreendo.

– E, se se cansassem de ser agricultores, se não gostassem do rumo que sua adaptação estava tomando, eles *podiam* desistir. Não diziam entre si: "Bom, temos que continuar com isso mesmo que nos mate, pois esse é o modo correto de se viver". Por exemplo, houve um povo que construiu uma vasta rede de canais de irrigação para cultivar os desertos do atual sudeste do Arizona. Mantiveram esses canais durante três mil anos, tendo criado uma civilização bastante adiantada, mas no final sentiram-se livres para dizer: "Esse modo de viver é trabalhoso e insatisfatório, então que vá para o inferno". Simplesmente deixaram essa civilização para trás e a esqueceram de modo tão completo que nem sequer sabemos como se chamava. O único nome que temos para eles é o que os índios pimas lhes deram: *hohokam*, os desaparecidos. Mas não será fácil assim para os Pegadores. Será muito difícil para eles desistir, pois o que fazem é *correto*, e precisam continuar, mesmo que seja necessário destruir o mundo e também a humanidade.

– Sim, é o que parece.

– Desistir significaria o quê?

– Desistir significaria... Significaria que estiveram *errados* o tempo todo. Significaria que *nunca* souberam como governar o mundo. Significaria abdicar da pretensão de serem deuses.

– Significaria cuspir o fruto da árvore e devolver o governo do mundo aos deuses.

– Sim.

9

Ismael indicou com a cabeça a pilha de Bíblias a meus pés.

– De acordo com os autores dessa história, as pessoas que viviam entre os rios Tigre e Eufrates provaram da árvore do conhecimento dos deuses. De onde supõe que tiraram essa ideia?

– Como assim?

– Quem deu aos autores dessa história a ideia de que os habitantes do delta do Nilo haviam provado da árvore do conhecimento divino? Será que viram os fatos com seus próprios olhos? Será que presenciaram a revolução agrícola?

– É uma possibilidade.

– Pense. Se presenciaram os fatos, quem eram eles?

– Ah, já sei. Eram o povo da Queda, os Pegadores.

– Mas, se fossem os Pegadores, teriam contado a história de outra maneira.

– Sim.

– Portanto, os autores dessa história não estavam presentes quando o evento aconteceu. Como, então, sabiam o que acontecera? Como sabiam que os Pegadores haviam usurpado o papel dos deuses?

– Cristo... – murmurei.

– Quem foram os autores da história?

– Bom... os hebreus?

Ismael sacudiu a cabeça.

– Para o povo conhecido como hebreu, essa história já era antiga. E misteriosa. Os hebreus entraram na história como Pegadores, e queriam apenas ser como seus vizinhos Pegadores. Na verdade, é por isso que seus profetas viviam censurando-os.

– É verdade.

– Ainda que conservassem a história, já não a entendiam totalmente. Para encontrar as pessoas que a entendiam, precisamos encontrar os seus autores. Quem eram eles?

– Bem, foram os ancestrais dos hebreus.

– Mas quem eram *eles*?

– Infelizmente, não faço ideia.

Ismael resmungou.

– Olhe, não posso proibi-lo de dizer "não faço ideia", mas insisto em que gaste alguns segundos *pensando* antes de falar.

Gastei alguns segundos pensando, só para ser educado, e depois disse:

– Sinto muito, mas meu conhecimento da história antiga é francamente desprezível.

– Os ancestrais dos hebreus eram os semitas.

– Ah.

– Sabia, não é?

– Acho que sim, mas...

– Simplesmente não pensou.

– Exato.

Ismael levantou-se e pôs-se a andar, e, para ser sincero, meu estômago se contraiu quando seu corpo de meia tonelada passou por mim. Se não sabem como os gorilas se deslocam de um lugar a outro por terra, vão ao zoológico ou aluguem uma fita da National Geographic. Nenhuma palavra minha vai conseguir descrevê-lo.

Depois de se arrastar pesadamente até a estante, Ismael retornou com um atlas histórico. Entregou-o para mim, aberto na página que mostrava o mapa da Europa e do Oriente Médio em 8500 a.C. Uma lâmina cortava como uma foice a península Arábica, separando-a do resto. As palavras *agricultura incipiente* deixavam claro que a lâmina incluía o delta do Nilo. Pontos espalhados indicavam os locais onde instrumentos agrícolas primitivos haviam sido encontrados.

— Creio que esse mapa dá uma falsa impressão — disse Ismael. — Mas acho que não foi intencional. Dá a impressão de que a revolução agrícola ocorreu num mundo vazio. Por isso prefiro o meu próprio mapa.

Abriu seu bloco e mostrou-o para mim.

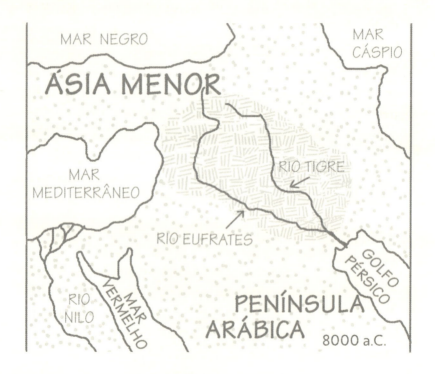

— Como vê, ele mostra a situação quinhentos anos depois. A revolução agrícola está bem adiantada. A área em que há cultivo está indicada por esses tracinhos. — Com a caneta, indicou a área entre o Tigre e o Eufrates. — Essa, é claro, é a terra entre os rios, o berço dos Pegadores. O que acha que todos esses pontos representam?

– Povos Largadores?

– Exatamente. Os pontos não representam a densidade populacional. Nem pretendem indicar que todos os trechos dessa região da Terra eram habitados por povos Largadores. Indicam, sim, que o mundo estava longe de ser vazio. Entende o que estou lhe mostrando?

– Acho que sim. A terra da Queda fica dentro do delta do Nilo e era cercada por povos não agricultores.

– Sim, mas também estou indicando que nessa época, no início de sua revolução agrícola, esses antigos Pegadores, fundadores da sua cultura, eram desconhecidos, isolados e pouco importantes. O próximo mapa do atlas histórico mostra a situação quatro mil anos depois. O que espera ver nele?

– Espero ver que os Pegadores se expandiram.

Ele acenou com a cabeça, indicando que eu deveria virar a página. Era um mapa oval, intitulado *Culturas calcolíticas*, e que tinha a Mesopotâmia ao centro e abrangia a Ásia Menor inteira e todas as terras do norte e do leste até o mar Cáspio e o golfo Pérsico. O mapa se estendia ao sul até a entrada da península Arábica, onde linhas paralelas indicavam a presença de *semitas*.

– Agora temos algumas testemunhas – observou Ismael.

– Como assim?

– Os semitas não foram testemunhas oculares dos eventos descritos no capítulo 3 do Gênese. – Desenhou um pequeno círculo no centro do delta do Nilo. – Esses eventos, cumulativamente conhecidos como a Queda, ocorreram aqui, centenas de milhas ao norte dos semitas, entre um povo totalmente diferente. Está vendo quem eram?

– De acordo com o mapa, eram os caucasianos.

– Mas, em 4500 a.C., os semitas testemunham um evento em seu próprio quintal: a expansão dos Pegadores.

– Sim, entendo.

– Em quatro mil anos a revolução agrícola que começou na região entre os rios se estendeu para o oeste, através da Ásia Menor, e para as montanhas ao norte e a leste. Mas, na direção sul, parece que algo a bloqueou. O quê?

– Os semitas, aparentemente.

– Por quê? Por que os semitas a bloquearam?

– Não sei.

– O que eram os semitas? Agricultores?

– Não. O mapa deixa claro que não participavam das atividades dos Pegadores. Logo, suponho que eram Largadores.

– Sim, eram Largadores, porém não mais caçadores-coletores. Haviam desenvolvido outro tipo de adaptação, que se tornou tradicional entre os povos semitas.

– Ah, eram criadores.

– Claro, eram pastores! – Indicou a fronteira entre a cultura calcolítica dos Pegadores e a dos semitas.

– Então, o que acontecia aqui?

– Não sei.

Ismael apontou para as Bíblias a meus pés.

– Leia a história de Caim e Abel, que está no Gênese, e saberá.

Apanhei o volume de cima e abri no quarto capítulo. Alguns minutos depois murmurei:

– Santo Deus...

10

Depois de ler a história nas três versões, ergui os olhos e disse:

– O que acontecia ao longo da fronteira era que Caim matava Abel. Os cultivadores regavam seus campos com o sangue dos pastores semitas.

– É claro! Acontecia lá o que sempre acontece ao longo das fronteiras que barram a expansão dos Pegadores. Os Largadores estavam sendo dizimados para que mais terra fosse empregada na agricultura. – Ismael pegou o bloco e me mostrou seu próprio mapa do período. – Como vê, as marcas indicam que os agricultores se espalharam por toda a área, exceto pelo território ocupado pelos semitas. Aqui, na fronteira que separa os lavradores dos pastores semitas, Caim e Abel se confrontavam.

Analisei o mapa durante alguns segundos e balancei a cabeça.

– Mas os estudiosos da Bíblia não viram isso?

– Não posso dizer que nem um único estudioso jamais viu isso. Mas a maioria leu a história como se tivesse se dado numa terra do nunca, numa fábula de Esopo. Não lhes ocorreu que pudesse ser uma propaganda de guerra dos semitas.

– Mas é exatamente o que é. Sei que sempre foi um mistério por que Deus aceitou Abel e sua oferta e rejeitou Caim e sua oferta. Agora está explicado. Com essa história, os semitas diziam a seus filhos: "Deus está do nosso lado. Ama a nós, pastores, mas odeia esses lavradores do norte, esses assassinos do solo".

– Isso mesmo. Ler a história como se fosse de autoria de seus ancestrais culturais torna-a incompreensível. Ela só começa a fazer sentido quando percebemos que se originou entre os *inimigos* de seus ancestrais culturais.

– É isso mesmo. – Fiquei olhando para o nada, aturdido, e depois voltei a fitar o mapa de Ismael. – Se os lavradores do norte eram caucasianos, então *essa* é a marca de Caim. – Apontei para o meu próprio rosto branco, ou melhor, cor de verme.

– Pode ser. Obviamente, nunca saberemos com certeza o que os autores da história tinham em mente.

– Mas faria *sentido* – insisti. – A marca foi dada a Caim como alerta aos outros: "Fiquem longe desse homem. É perigoso e vingativo". Certamente, muita gente no mundo todo percebeu que não compensa se meter com brancos.

Ismael deu de ombros, reticente ou apenas desinteressado.

11

– No mapa anterior, preocupei-me em fazer centenas de pontos para representar os povos Largadores que viviam no Oriente Médio quando a revolução agrícola começou. O que supõe ter acontecido a esses povos entre a época daquele mapa e a época deste mapa?

– Diria que foram conquistados e assimilados ou adotaram a agricultura, imitando os Pegadores.

Ismael assentiu.

– Sem dúvida, muitos desses povos tinham suas próprias fábulas sobre a revolução, seus próprios modos de explicar como esses povos do delta do Nilo vieram a ser como eram, mas apenas uma delas sobreviveu: a que os semitas contavam a seus filhos sobre a Queda de Adão e o assassinato de Abel por seu irmão, Caim. Sobreviveu porque os Pegadores nunca conseguiram dominar os semitas, que se recusaram a adotar a vida agrícola. Até mesmo seus descendentes Pegadores, os hebreus, que preservaram a história sem compreendê-la plenamente, não se sentiam nem um pouco atraídos pelo estilo de vida camponês. E assim, com a disseminação do cristianismo e do Antigo Testamento, os Pegadores vieram a adotar como sua uma história que o inimigo outrora contara para denunciá-los.

12

– Portanto, retornamos à pergunta: de onde os semitas tiraram a ideia de que o povo do delta do Nilo havia provado da árvore do conhecimento divino?

– Ora, deve ter sido um tipo de reconstrução – sugeri. – Olharam para o povo que estavam combatendo e disseram: "Meu Deus, como eles ficaram desse jeito?"

– E qual foi a resposta?

– Bom... "O que há de *errado* com essa gente? O que há de errado com nossos irmãos do norte? Por que fazem isso conosco? Agem como se..." Deixe-me pensar um pouco.

– Sem pressa.

– Certo – disse, minutos depois. – Acho que os semitas pensavam assim: "O que está acontecendo é algo totalmente novo. Não se trata de um mero ataque. Essa gente não está demarcando sua fronteira e mostrando-nos os dentes para tomarmos cuidado. Eles estão dizendo... Nossos irmãos do norte estão dizendo que temos que morrer. Estão dizendo que Abel precisa ser eliminado. Estão dizendo que não temos permissão para viver. E isso é algo novo, e não entendemos. Por que eles não podem viver lá no norte e ser agricultores e deixar-nos viver aqui no sul e sermos pastores? Por que precisam nos matar? Algo de muito esquisito deve ter acontecido para tornar essas pessoas assassinas. O que pode ter sido? Espere... Vejam como essa gente vive. Ninguém nunca viveu desse jeito antes. Não estão apenas dizendo que *nós* temos que morrer. Estão dizendo que *tudo* tem que morrer. Não estão apenas nos matando, estão matando *tudo*. Estão dizendo: 'Muito bem, leões, chegou seu fim. Não aguentamos mais vocês. Fora'. Estão dizendo: 'Muito bem, lobos, não aguentamos mais vocês também. Fora'. Estão dizendo: 'Somente nós podemos comer. Todo esse alimento nos pertence e ninguém pode tocá-lo sem nossa permissão'. Estão dizendo: 'O que quisermos que viva, viverá; o que quisermos que morra, morrerá'.

"É isso! Estão agindo como se fossem os próprios deuses. Estão agindo como se tivessem provado da árvore do conhecimento divino, como se fossem tão sábios como os deuses e pudessem decidir sobre a vida ou morte como bem entendessem. Sim, é isso que deve ter acontecido por lá. Essa gente encontrou a árvore do conhecimento divino e roubou alguns de seus frutos.

"Com certeza! Trata-se de um povo amaldiçoado, logo se vê. Quando os deuses descobriram o que haviam feito, disseram: 'Muito bem, povo infeliz, agora acabou. Não vamos mais tomar conta de vocês. Fora. Estão banidos do jardim. Daqui por diante, em vez de viver de nossos favores, arrancarão o alimento do solo com o suor de seu rosto'. E foi assim que esses malditos lavradores passaram a nos perseguir e a irrigar seus campos com nosso sangue."

Quando terminei, Ismael uniu as mãos em mudo aplauso.

Sorri e inclinei a cabeça, afetando modéstia.

13

– Uma das indicações mais claras de que essas duas histórias não são de autoria de seus ancestrais culturais é o fato de não apresentarem a agricultura como uma opção desejável, feita livremente, mas sim como uma maldição. Era literalmente inconcebível aos autores das histórias que alguém pudesse *preferir* viver do suor de seu rosto. Logo, a pergunta que se faziam não era: "Por que essa gente adotou um estilo de vida tão trabalhoso?", e sim: "Que terrível falta esse povo cometeu para merecer semelhante castigo? O que fizeram para que os deuses os privassem dos favores que nos possibilitam uma vida sem cuidados?"

– Sim, isso parece óbvio agora. Em nossa história cultural, a adoção da agricultura foi o prelúdio da ascensão. Nessas histórias, a agricultura é a sina dos decaídos.

14

– Tenho uma pergunta – interrompi. – Por que descrevem Caim como o primeiro filho de Adão e Abel como o segundo?

– O significado não é tanto mitológico como cronológico. É um tema presente em muitas lendas populares. Quando um pai tem dois filhos, um justo e outro injusto, o injusto é quase sempre o amado primogênito, enquanto o justo vem depois. É o saco de pancadas da história.

– Sim, mas por que se consideravam descendentes de Adão?

– Não deve confundir o raciocínio mitológico com o biológico. Os semitas não consideravam Adão seu ancestral biológico.

– Como sabe?

Ismael pensou um pouco.

– Sabe o que *Adão* significa em hebreu? Não sabemos que nome os semitas lhe deram, mas provavelmente tinha o mesmo sentido.

– Significa *homem*.

– É claro! A raça humana. Acha que os semitas pensavam que a raça humana fosse seu ancestral biológico?

– Não, claro que não.

– Também acho que não. Os relacionamentos na história devem ser entendidos metaforicamente, e não biologicamente. Segundo os semitas, a Queda dividira a raça humana em dois grupos: os vilões e os mocinhos, os lavradores e os pastores, e os primeiros se dedicavam a matar os segundos.

– Entendi – disse eu.

15

– Mas sinto dizer que tenho outra pergunta.

– Não precisa pedir desculpas. Está aqui para isso.

– Está bem. Quero saber como Eva entra na história. Seu nome significa o quê?

– De acordo com as notas, significa *Vida*.

– E não *Mulher*?

– Não de acordo com as notas. Com esse nome, os autores da história deixaram claro que a tentação de Adão não era sexo, luxúria ou submissão à mulher. Adão era tentado pela *Vida*.

– Não entendi.

– Reflita: cem homens e uma mulher não produzem cem bebês; um homem e cem mulheres, sim.

– E... ?

– Estou querendo dizer que, em termos de expansão populacional, os homens e as mulheres têm papéis marcadamente diferentes. Não são de forma alguma iguais nesse ponto.

– Certo, mas continuo sem entender.

– Quero que pense pela perspectiva de um povo não agricultor, um povo para quem o controle populacional é sempre um problema crítico. Digamos assim: um grupo de pastores formado por cinquenta homens e uma mulher não corre perigo de passar por uma explosão populacional, mas um grupo de um homem e cinquenta mulheres terá problemas. Sendo as pessoas como são, este último grupo de cinquenta e um pastores logo se tornará um grupo de cem.

– É verdade. Mas ainda não vejo como isso está relacionado com a história do Gênese.

– Tenha paciência. Voltemos aos autores da história, um povo pastoril que era empurrado para o deserto pelos agricultores do norte. Por que seus irmãos do norte os expulsavam?

– Queriam cultivar as terras dos pastores.

– Sim, mas por quê?

– Ah, entendi. Queriam aumentar a produção de alimentos para sustentar sua crescente população.

– Claro! Agora, está pronto para reconstruir outros fatos. Pode ver que esses lavradores não tinham o menor senso de limites no que dizia respeito à expansão. Não controlavam sua população; quando não tinham alimentos para continuar, era só cultivar mais terras.

– É verdade.

– Portanto, a quem esse povo dizia "sim"?

– Hum, começo a entender, mas ainda está obscuro.

– Pense desta maneira: os semitas, como a maioria dos povos não agrícolas, precisavam tomar cuidado com o equilíbrio numérico entre os sexos. Homens demais não ameaçavam a estabilidade populacional, mas mulheres demais, certamente que sim. Compreende isso?

– Sim.

– Mas os semitas observavam que, para seus irmãos do norte, isso pouco importava. Se sua população fugisse ao controle, não se preo-cupavam: bastava cultivar mais terras.

– Sim, compreendo.

– Ou veja por este lado: Adão e Eva passaram três milhões de anos no jardim, vivendo dos favores dos deuses, e tiveram um crescimento muito modesto. No estilo de vida dos Largadores, *precisava* ser assim. Os Largadores não precisavam exercer a prerrogativa divina de deci-dir quem deve viver e quem deve morrer. Mas, quando Eva apresen-tou a Adão esse conhecimento, ele disse: "Sim, entendo. Agora, não temos mais que depender dos favores dos deuses. Com a decisão sobre quem deve viver e quem deve morrer em nossas mãos, poderemos criar favores de que somente nós desfrutaremos, e isso significa que posso dizer 'sim' para a Vida e crescer sem limites". Entenda que dizer "sim" para a Vida e aceitar o conhecimento do bem e do mal são ape-nas aspectos diferentes de uma única ação, e é assim que a história é contada no Gênese.

– Sim, é algo sutil, mas acho que entendo. Ao aceitar o fruto daquela árvore, Adão sucumbiu à tentação de viver sem limites. Por isso, o nome da pessoa que lhe ofereceu esse fruto é *Vida*.

Ismael assentiu.

– Sempre que um casal de Pegadores diz como seria maravilhoso ter uma família grande, está reencenando esse episódio ao lado da Árvore do Conhecimento do Bem e do Mal. Está dizendo: "É claro que é nosso direito trazer tantas vidas ao planeta quantas quisermos. Por que parar depois de quatro ou cinco filhos? Podemos ter quinze, se quisermos. Basta que cultivemos mais algumas centenas de hectares da floresta tropical. Quem se importa se dezenas de outras espécies desaparecerem como consequência disso?"

16

Ainda restava algo que não se encaixava, mas eu não sabia como articular a pergunta.

Ismael exortou-me a ter calma. Depois que fiquei quebrando a cabeça durante alguns minutos, ele disse:

– Não espere ser capaz de resolver tudo em termos de nosso atual conhecimento do mundo. Os semitas nessa época estavam completamente isolados na península Arábica, cercados por todos os lados, seja pelo mar, seja pelo povo de Caim. Pelo que sabiam, eles e seus irmãos do norte eram literalmente a única raça humana, o único povo da Terra. Com certeza, era assim que viam a história. Não tinham como saber que fora apenas naquele pequeno recanto do mundo que Adão provara da árvore dos deuses, não tinham como saber que o delta do Nilo era apenas um dos muitos lugares onde a agricultura começara, não tinham como saber que ainda havia povos no mundo todo que viviam como Adão vivera antes da Queda.

– É verdade – admiti. – Eu estava tentando fazer a história se encaixar com todas as informações que temos, o que obviamente não dá certo.

17

– É razoável dizer que a história da Queda de Adão é de longe a mais conhecida do mundo.

– Pelo menos no Ocidente – observei.

– Ora, também é conhecida no Oriente, já que foi espalhada por todos os cantos do mundo pelos missionários cristãos. Exerce uma poderosa atração sobre os Pegadores de todos os lugares.

– Sim.

– E por quê?

– Imagino que seja por tentar explicar o que deu errado aqui.

– E o que deu *errado*? Como as pessoas entendem a história?

– Adão, o primeiro homem, comeu o fruto da árvore proibida.

– O que entendem que isso significa?

– Francamente, não sei. Nunca ouvi uma explicação que fizesse sentido.

– E o conhecimento do bem e do mal?

– Mais uma vez, nunca ouvi uma explicação que fizesse sentido. Acho que a maioria entende a história assim: os deuses queriam testar a obediência de Adão proibindo-o de fazer algo, e pouco importava o que fosse. E na essência a Queda foi isso: um gesto de desobediência.

– Nada de fato relacionado com o conhecimento do bem e do mal.

– Não. Mas suponho que algumas pessoas pensem que o conhecimento do bem e do mal seja apenas um símbolo para... não sei bem o quê. Imaginam que a Queda tenha sido uma perda da inocência.

– Inocência nesse contexto provavelmente é um sinônimo para bem-aventurada ignorância.

– Sim... É mais ou menos isso: o homem era inocente até descobrir a diferença entre o bem e o mal. Quando deixou de ser inocente a respeito desse conhecimento, tornou-se uma criatura decaída.

– Creio que isso nada significa para mim.

– Na verdade, nem para mim.

– No entanto, lida de outro ponto de vista, a história de fato explica exatamente o que houve de errado aqui, não é?

– Sim.

– Mas o povo de sua cultura nunca foi capaz de entender a explicação porque sempre pensou que tivesse sido formulada por seus iguais: pessoas que achavam natural que o mundo tivesse sido criado para conquistá-lo e governá-lo; pessoas para as quais não há conhecimento mais doce do que o conhecimento do bem e do mal, pessoas que consideram a agricultura o único modo de vida nobre e humano. Lendo a história como se fosse de autoria de alguém com o mesmo ponto de vista, não tinham a menor chance de entendê-la.

– Isso mesmo.

– Mas, quando lida de outra maneira, a explicação é perfeitamente sensata. O homem jamais poderá obter a sabedoria divina de como governar o mundo e, se tentar se apoderar dela, o resultado não será iluminador, mas mortal.

– Sim – disse eu. – Não me restam dúvidas de que é esse o significado da história. Adão não foi o progenitor de nossa raça, mas sim de nossa cultura.

– Por isso sua figura sempre teve tamanha importância para vocês. Ainda que a história em si mesma não tivesse um significado real, eram capazes de se identificar com Adão, seu protagonista. Desde o início, reconheceram-no como sendo um dos seus.

DEZ

1

Um tio meu chegou à minha casa sem avisar, esperando se divertir na cidade com a minha companhia. Pensei que ficaria só um dia, mas acabou ficando dois dias e meio. Peguei-me enviando estes pensamentos para ele: "Já não está na hora de ir embora? Não está com saudades de casa? Não prefere explorar a cidade sozinho? Não lhe ocorre que eu possa ter outras coisas para fazer?" Ele não mostrou reação.

Minutos antes de eu sair para levá-lo ao aeroporto, recebi um telefonema de um cliente, dando-me o ultimato. Não aceitaria mais desculpas: ou eu fazia o trabalho ou teria de devolver o adiantamento. Respondi que faria o trabalho imediatamente. Levei meu parente ao aeroporto, voltei e sentei-me diante do computador. Não era uma tarefa tão grande, disse a mim mesmo. Não compensava me deslocar até o centro da cidade só para dizer a Ismael que eu me ausentaria por mais um ou dois dias.

Mas um tremor de apreensão agitava minhas entranhas.

Assim como todo mundo, tenho o costume de deixar o cuidado de meus dentes nas mãos de Deus. Não tenho tempo sobrando. É como se dialogasse com meus dentes: "Aguentem firme, cuidarei de vocês antes que seja tarde". Mas, durante a segunda noite, um molar havia muito esquecido não resistiu mais. Na manhã seguinte, encontrei um dentista que concordou em extraí-lo e dar-lhe um enterro decente. Na cadeira, enquanto ele me aplicava uma anestesia após outra, mexia no seu equipamento e media minha pressão, eu pensava comigo mesmo: "Olhe, não tenho tempo para isso. Arranque-o logo e deixe-me ir embora". Mas depois vi que ele tinha razão. Puxa, que raízes tinha aquele dente! Pareciam chegar até a coluna vertebral. A certa altura, perguntei ao dentista se não seria mais fácil abordá-lo pela parte de trás.

Quando terminou, ele revelou um outro lado de sua personalidade. Tornou-se um Guarda Odontológico, mandando-me "encostar na guia" para me dar um sermão. Repreendeu-me, fez com que eu me sentisse irresponsável e imaturo. Abaixei a cabeça, concordei, prometi que não aconteceria mais, enquanto pensava: "Por favor, seu guarda, dê-me um crédito de confiança e deixe-me ir embora". Foi o que ele acabou fazendo, mas quando cheguei em casa minhas mãos tremiam e os pedaços de gaze que eu tirava da boca não eram nada bonitos. Passei o dia engolindo analgésicos e antibióticos e me entorpecendo com *bourbon*.

Na manhã seguinte, voltei ao trabalho, mas aquele tremor de apreensão continuava a agitar minhas entranhas.

– Só mais um dia – dizia a mim mesmo. – Esta noite, coloco o trabalho no correio, e mais um dia não fará diferença.

O jogador que aposta sua última nota de cem no número 19 e vê a bola saltar com determinação para o buraco 18 depois diz que sabia que iria perder no momento em que a ficha saiu de sua mão. Sabia, *sentira* isso. Mas é claro que, se a bola tivesse dado mais um salto e caído no buraco 19, ele admitiria alegremente que pressentimentos muitas vezes são enganosos.

O meu não foi.

Do final do corredor, vi um limpador de chão, tamanho industrial, estacionado na frente da sala de Ismael. A porta estava entreaberta. Eu ainda não chegara lá quando um homem de meia-idade, vestindo uniforme cinza, saiu e começou a trancar a sala. Gritei-lhe para que esperasse.

– O que está fazendo? – perguntei, não com muita elegância, quando a distância me permitiu usar um tom normal de voz.

Eu não merecia uma resposta, e ele não me deu.

– Ouça – disse eu –, sei que não é da minha conta, mas poderia me dizer o que está havendo aqui?

Olhou-me como se eu fosse uma barata que ele podia jurar ter matado havia uma semana. Contudo, finalmente moveu um pouco os lábios e articulou algumas palavras:

– Estou limpando a sala para o novo inquilino.

– Ah – disse eu. – Mas o que aconteceu com o antigo inquilino?

Ele encolheu os ombros.

– Deve ter sido despejada. Parou de pagar o aluguel.

– *Despejada*? – Esquecera-me por um momento de que Ismael não era seu próprio cuidador.

Ele me olhou com desconfiança.

– Pensei que conhecesse a moça.

– Não, conhecia o... hã...

Ele ficou parado me olhando.

– Olhe – repeti eu, atrapalhado –, deve haver um bilhete para mim aí dentro, ou algo parecido.

– Não há nada aí dentro agora. A não ser mau cheiro.

– Importa-se se eu mesmo olhar?

Deu-me as costas e trancou a porta.

– Fale com a gerência. Tenho mais que fazer.

2

"A gerência", na pessoa de uma recepcionista, não viu nenhuma razão para me dar acesso à sala ou a informações, além das que eu já sabia: a inquilina parara de pagar o aluguel e consequentemente fora despejada. Tentei demovê-la contando-lhe um pouco da verdade, mas ela rejeitou com desdém minha insinuação de que um gorila já ocupara o local.

– Nenhum animal semelhante jamais foi, e jamais será, mantido em qualquer propriedade administrada por esta firma.

Pedi-lhe que pelo menos me dissesse se Rachel Sokolow fora a locatária. Que mal isso faria? A mulher respondeu:

– Não é essa a questão. Se seu interesse fosse legítimo, saberia quem era o locatário.

Não era uma recepcionista comum. Se um dia precisar de uma, espero encontrar alguém como ela.

3

Havia meia dúzia de Sokolow na lista telefônica, mas nenhuma pessoa chamada Rachel. Havia uma Grace, que, pelo endereço, podia ser a viúva de um rico comerciante judeu. Na manhã seguinte, bem cedo, fui lá e cometi uma leve invasão de domicílio para ver se na mansão havia um belvedere. Havia.

Mandei lavar o carro, lustrei meus sapatos sóbrios e escovei os ombros do único terno que tenho no armário para o caso de enterros e casamentos. Então, precavendo-me para não chegar bem na hora do almoço ou do chá, esperei até as duas horas para fazer minha aparição.

O estilo belas-artes não é do gosto de todos, mas me agrada quando não se confunde com um bolo de casamento. A mansão Sokolow parecia fria e majestosa, mas um pouco excêntrica, como membros da realeza fazendo piquenique. Depois de tocar a campainha, tive bastante tempo para contemplar a porta da frente, por si uma obra de arte: era uma escultura de bronze, ilustrando o rapto de Europa, ou a fundação de Roma, ou alguma porcaria assim. Pouco depois, ela foi aberta por um homem que eu julgaria secretário de Estado só por suas roupas, aspecto e postura. Não precisou dizer "sim?" ou "pois não?". Perguntou qual era o assunto apenas contraindo uma sobrancelha. Disse-lhe que gostaria de ver a sra. Sokolow. Perguntou se eu marcara hora, sabendo muito bem que não marcara. Percebi que era um sujeito que não se contentaria com um "é assunto pessoal", ou seja, "não é da sua conta". Decidi me abrir um pouco.

– Para falar a verdade, estou tentando entrar em contato com a filha dela.

Ele me olhou serenamente da cabeça aos pés.

– Não é amigo dela – disse afinal.

– Honestamente, não.

– Se fosse, saberia que ela morreu há quase três meses.

Suas palavras me atingiram como um jato de água gelada.

Ele contraiu a outra sobrancelha, querendo dizer: "É tudo?"

Decidi me abrir um pouco mais.

– Trabalhou para o *sr.* Sokolow?

Ele franziu a testa, indicando-me que duvidava da relevância da pergunta.

– Pergunto porque... Posso saber seu nome?

Ele duvidou da relevância dessa pergunta também, mas decidiu ser condescendente.

– Meu nome é Partridge.

– Bem, sr. Partridge, pergunto porque... Chegou a conhecer Ismael?

Ele cerrou os olhos.

– Para ser completamente honesto, não estou procurando Rachel, e sim Ismael. Sei que Rachel se encarregou dele depois da morte do pai.

– Como sabe disso? – perguntou ele, não revelando nada.

– Sr. Partridge, se sabe a resposta para essa pergunta, provavelmente me ajudará – disse eu. – E, se não souber a resposta, provavelmente não me ajudará.

Era um argumento elegante, e ele o reconheceu com um aceno de cabeça. Perguntou-me por que eu procurava por Ismael.

– Ele desapareceu... de seu lugar de costume. Evidentemente, foi despejado.

– Alguém deve tê-lo ajudado a sair de lá.

– Sim – concordei. – Não imagino que ele tenha entrado na Hertz e alugado um carro.

Partridge ignorou meu gracejo.

– Sinceramente, não sei de nada.

– A sra. Sokolow?

– Se ela soubesse de alguma coisa, eu saberia antes.

Acreditei nele, mas disse:

– Dê-me alguma pista para começar.

– Não sei de nenhuma pista. Não agora que a srta. Sokolow morreu.

Fiquei parado, assimilando aquilo.

– De que ela morreu?

– Não chegou a conhecê-la?

– Nunca a vi.

– Então, realmente não é da sua conta – disse ele, sem rancor, apenas observando um simples fato.

4

Pensei em contratar um detetive particular, mas ensaiei mentalmente o tipo de conversa que teríamos para que ele começasse a trabalhar e acabei desistindo da ideia. Sem poder dar o assunto por encerrado, telefonei para o zoológico local e perguntei se, por acaso, tinham um gorila das planícies no estoque. Não tinham. Disse que eu tinha, que precisava me livrar dele e perguntei se queriam comprá-lo. Não queriam. Perguntei se poderiam sugerir alguém que *talvez* quisesse. Responderam que, infelizmente, não. Perguntei o que fariam se precisassem desesperadamente se livrar de um gorila. Disseram que talvez algum laboratório o comprasse para fazer experiências, mas notei que não estavam interessados na conversa.

Uma coisa era óbvia: Ismael tinha alguns amigos de cuja existência eu não sabia – talvez antigos alunos. A única maneira de encontrá-los que me ocorreu foi a que ele provavelmente usara para encontrá-los: um anúncio nos Classificados Pessoais.

AMIGOS DE ISMAEL: Outro amigo perdeu contato com ele. Por favor, me telefonem e me digam onde ele está.

O anúncio foi um erro, porque me deu uma desculpa para me desligar do problema. Esperei que o anúncio aparecesse, depois esperei que fosse divulgado durante uma semana, depois esperei mais alguns dias por uma ligação que não veio, e assim se passaram duas semanas sem que eu levantasse um dedo.

Quando finalmente encarei o fato de que não receberia nenhuma resposta, tive de procurar outro estratagema, e não demorei mais de três minutos para encontrá-lo. Liguei para a prefeitura e logo falei com a pessoa encarregada de emitir licença a espetáculos itinerantes que desejassem ocupar áreas vazias por uma semana.

Havia algum espetáculo na cidade?

Não.

Houvera algum durante o último mês?

Sim, o parque de diversões Darryl Hicks, com dezenove brinquedos, vinte e quatro jogos e um espetáculo adicional. Haviam estado na cidade e partido fazia algumas semanas.

Tinham minizoológicos também?

Não se lembrava de terem relacionado algo assim.

Talvez um ou dois animais no espetáculo?

Não sabia. Talvez.

Qual era a próxima parada da turnê?

Não fazia ideia.

Não importava. Depois de uma dúzia de ligações, localizei o parque de diversões numa cidade sessenta quilômetros ao norte, onde estivera por uma semana antes de prosseguir viagem. Imaginando que continuaria avançando para o norte, localizei a parada seguinte, onde ainda continuava, com uma única chamada. E, sim, eles estavam anunciando a presença de "Gargantua, o gorila mais famoso do mundo" – uma criatura que eu mesmo sabia já estar morta havia pelo menos quarenta anos.

Para quem tivesse um equipamento razoavelmente moderno, o parque de diversões Darryl Hicks teria estado a noventa minutos de distância. Mas eu, com meu Plymouth lançado no mesmo ano que o seriado *Dallas*, demorei duas horas. Quando cheguei, vi que era mesmo um parque de diversões. Vocês sabem, parques de diversões são como rodoviárias: algumas maiores, outras menores, mas todas iguais. O Darryl Hicks consistia em cinco mil metros quadrados repletos da vulgaridade de sempre, mascarada de diversão: cheio de pessoas feias, barulho e cheiro de cerveja, algodão-doce e pipoca. Abri caminho por essa bagunça em busca do espetáculo.

Tenho a impressão de que os espetáculos como eram em minha infância (ou nos filmes que vi na infância) estão praticamente extintos nos parques de diversões modernos. Se for assim, Darryl Hicks resolveu não seguir a moda. Quando cheguei, um apresentador anunciava o engolidor de fogo, mas não fiquei para assistir. Havia muito para ver no interior: o habitual conjunto de monstros e malucos (um comedor de vidro, um engolidor de facas, uma mulher gorda tatuada e os demais), que ignorei.

Ismael estava num canto pouco iluminado, tão longe da entrada quanto possível, com uma plateia de dois meninos de dez anos.

– Aposto que ele poderia arrancar essas barras na hora, se quisesse – observou um deles.

– Sim – disse o outro. – Só que *ele* não sabe.

Fiquei lá, olhando-o insistentemente, mas ele continuou placidamente sentado, não prestando atenção a nada até que os meninos se afastassem.

Os minutos se passavam, eu continuava a olhá-lo e ele continuava fingindo que eu não estava lá. Então, desisti e disse:

– Diga-me, por que não pediu ajuda? Sei que poderia ter feito isso. Não despejam as pessoas da noite para o dia.

Ele não deu sinal de ter ouvido.

– Que raio é preciso fazer para tirá-lo daqui?

Ele continuou olhando através de mim como se eu fosse feito de ar.

– Ouça, Ismael – disse eu –, está magoado comigo ou algo assim?

Finalmente, ele me deu um olhar, mas não era muito amistoso.

– Não o convidei para ser meu protetor – disse ele. – Logo, tenha a gentileza de não me proteger.

– Quer que eu pare de me meter?

– Numa palavra, sim.

Olhei ao redor, inconformado.

– Quer dizer que realmente quer ficar aqui?

Os olhos de Ismael voltaram a ficar glaciais.

– Está certo, está certo – disse-lhe. – Mas... e quanto a mim?

– O que tem você?

– Não terminamos, não é?

– Não, não terminamos.

– Então, o que vai fazer? Serei o fracasso número cinco e pronto?

Ficou me olhando melancolicamente durante um minuto. Depois disse:

– Não há necessidade alguma de que você se torne o fracasso número cinco. Podemos continuar como antes.

Nesse instante, uma família de cinco pessoas se aproximou para dar uma olhada no gorila mais famoso do mundo: a mãe, o pai, duas meninas e um bebê letárgico nos braços da mãe.

– Então, podemos prosseguir como antes? – disse eu, e não foi um sussurro. – E isso lhe parece plausível, não?

A família de visitantes de repente me achou muito mais interessante do que "Gargantua", que, afinal, só estava sentado lá dentro com ar rabugento.

– Bom, e por onde começaríamos? – disse eu. – Lembra-se de onde paramos?

Intrigados, os visitantes viraram-se para ver que reação minhas palavras provocariam em Ismael – reação que, é claro, só eu pude ouvir.

– Cale-se.

– Calar-me? Mas pensei que fôssemos prosseguir como antes.

Com um resmungo, ele se arrastou para os fundos da jaula e me deu as costas. Passado algum tempo, os visitantes decidiram que eu merecia um olhar reprovador. Feito isso, marcharam em direção ao corpo mumificado de um homem morto no deserto de Mojave durante a Guerra Civil.

– Deixe-me levá-lo de volta – pedi.

– Não, obrigado – respondeu ele, virando-se de frente, mas sem sair dos fundos. – Por incrível que lhe possa parecer, prefiro viver deste modo do que da caridade de alguém, mesmo da sua.

– Só seria assim até que encontrássemos outra maneira.

– Que maneira? Fazer palhaçadas no programa *Tonight*? Ou em casas noturnas?

– Ouça, se eu falar com os outros, talvez possamos encontrar uma solução em comum.

– De que diabo está falando?

– Estou falando das pessoas que o ajudaram até hoje. Não fez tudo sozinho, não foi?

Ele me olhou funestamente em meio às sombras.

– Vá embora – rosnou ele. – Vá embora e me deixe sozinho.

Fui embora e o deixei sozinho.

5

Não me preparara para isso – nem para nada, na verdade – e portanto não sabia o que fazer. Fui para o motel mais barato que pude achar e saí para comer um filé, tomar alguns drinques e pensar na situação. Como por volta das nove eu ainda não fizera nenhum progresso, voltei ao parque de diversões para ver o que acontecia por lá. Tive sorte, de certo modo: uma frente fria estava entrando e uma incômoda chuva fina apagava o fogo dos visitantes e os mandava para casa.

Será que o termo empregado ainda é "gari"? Não perguntei ao homem que fechava a tenda do espetáculo. Devia ter oitenta anos. Ofereci-lhe uma nota de dez pelo privilégio de comungar com a natureza durante algum tempo através do gorila que se chamava Gargantua tanto quanto eu. Ele não pareceu se importar com os aspectos éticos da questão, mas olhou com desprezo para o montante do suborno. Acrescentei outra nota de dez, e ele deixou uma luz acesa ao lado da jaula quando foi embora. Havia cadeiras de dobrar em frente aos palcos das apresentações, e arrastei uma até a jaula.

Ismael me contemplou durante algum tempo e depois perguntou onde havíamos parado.

– Havia acabado de me mostrar que a história do Gênese que começa com a Queda de Adão e termina com o assassinato de Abel não é o que as pessoas da minha cultura convencionalmente acreditam ser. É a história de nossa revolução agrícola contada por algumas de suas primeiras vítimas.

– E o que acha que ainda resta?

– Não sei. Talvez reste amarrar tudo o que vimos. Ainda não sei as consequências do que me ensinou.

– Sim, concordo. Deixe-me pensar um pouco.

6

– O que é cultura, exatamente? – perguntou Ismael, afinal. – Da maneira como a palavra é habitualmente usada, não no sentido especial que lhe demos para os propósitos de nossas conversas.

Parecia uma pergunta descomunal para ser feita a alguém sentado sob a tenda de um parque de diversões, mas fiz o que pude para responder a ela.

– Diria que é a soma total de tudo o que faz de um povo um povo.

Ele fez um gesto afirmativo com a cabeça.

– E como essa soma total se dá?

– Não sei bem do que está falando. Ela se dá com as pessoas vivendo.

– Sim, mas os pardais vivem e não têm cultura.

– Certo, estou entendendo. É uma acumulação. A soma total é uma acumulação.

– Não me disse ainda como essa acumulação se dá.

– Ah, entendi. A acumulação é a soma total que é passada de geração a geração. Passa a existir quando... Quando uma espécie atinge um certo nível de inteligência, os membros de uma geração começam a passar informações e técnicas para a próxima. A geração seguinte herda essa acumulação, acrescenta suas próprias descobertas e refinamentos e passa o total para a próxima.

– E essa acumulação é o que se chama de cultura?

– Eu diria que sim.

– É a soma total de tudo o que passa de uma geração a outra. Não apenas informações e técnicas, mas também crenças, suposições, teorias, costumes, lendas, canções, danças, piadas, superstições, preconceitos, gostos, atitudes, tudo.

– Isso mesmo.

– É curioso, mas o nível de inteligência necessário para que essa acumulação se inicie não é terrivelmente alto. Os chimpanzés na selva já estão transmitindo comportamentos ligados à fabricação e usos de ferramentas para seus filhotes. Vejo que está surpreso.

– Não. Bem... estou surpreso por ter mencionado os chimpanzés.

– Em vez dos gorilas?

– Isso mesmo.

Ismael franziu a testa.

– Para dizer a verdade, evitei deliberadamente todos os estudos de campo sobre a vida dos gorilas. É um assunto que não me interessa explorar.

Assenti com um gesto de cabeça, sentindo-me estúpido.

– Seja como for, se os chimpanzés já começaram a acumular conhecimento sobre o que dá certo para os chimpanzés, quando acha que as pessoas começaram a acumular conhecimento sobre o que dá certo para as pessoas?

– Penso que começou quando as pessoas começaram.

– E os antropólogos concordariam. A cultura humana começou

com a vida humana, ou seja, com o *Homo habilis*. Os *Homo habilis* passaram para seus filhos tudo o que aprenderam, e cada geração fazia sua pequena contribuição, houve uma acumulação de conhecimento. E quem herdou essa acumulação?

– O *Homo erectus*?

– Isso mesmo. E os *Homo erectus* passaram essa acumulação de uma geração a outra, e cada uma dava sua pequena contribuição. E quem foram os herdeiros dessa acumulação?

– O *Homo sapiens*.

– Claro! E os herdeiros do *Homo sapiens* foram os *Homo sapiens sapiens*, que passaram essa acumulação de uma geração a outra, e cada uma delas deu sua pequena contribuição. E quem herdou *essa* acumulação?

– Diria que os vários povos Largadores foram os herdeiros.

– E não os Pegadores? Por quê?

– Por quê? Não sei. Deve ser porque... Obviamente, a revolução agrícola marcou um rompimento total com o passado. Mas os vários povos que migravam para as Américas na época não romperam com o passado. Os povos que habitavam a Nova Zelândia, a Austrália e a Polinésia não romperam com o passado.

– O que o faz dizer isso?

– Não sei. É a impressão que tenho.

– Sim, mas qual é a base dessa impressão?

– Acho que é o seguinte: não sei que história todos esses povos encenavam, mas vejo que era sempre a mesma. Ainda não sou capaz de detalhar essa história, mas ela está claramente em oposição à história que as pessoas de minha cultura encenam. Onde quer que estejam, fazem sempre o mesmo tipo de coisa, sempre vivem o mesmo tipo de vida. Assim como, onde quer que *nós* estejamos, fazemos o mesmo tipo de coisa e vivemos o mesmo tipo de vida.

– Mas qual é a relação entre isso e a transmissão da acumulação cultural feita pela humanidade durante os primeiros três milhões de anos de sua existência?

Pensei por alguns minutos e depois disse:

– A relação é a seguinte: os Largadores ainda passam essa acumulação adiante, na forma que a receberam. Mas nós não, porque há dez mil anos os fundadores de nossa cultura disseram: "Tudo isso é bobagem. Não é assim que as pessoas devem viver". E jogaram fora esse legado. *Devem* ter jogado, porque, quando seus descendentes entraram para a história, já não havia o menor sinal das atitudes e ideias que encontramos entre os Largadores em toda parte. Além disso...

– Sim?

– Interessante, nunca tinha percebido isso antes... Os Largadores sempre estão conscientes de uma tradição que remonta a épocas muito antigas. Não temos tal consciência. De modo geral, somos um povo muito "novo". Cada geração é de certo modo nova, mais isolada do passado do que a anterior.

– O que a Mãe Cultura tem a dizer a esse respeito?

– Vejamos – disse eu, fechando os olhos. – A Mãe Cultura diz que é assim que deve ser. Não há nada de útil no passado. O passado é sucata, algo a ser deixado para trás, algo de que devemos fugir.

Ismael assentiu.

– Agora vê por que vocês adquiriram amnésia cultural?

– Como assim?

– Até que Darwin e os paleontólogos chegassem para costurar três milhões de anos de vida humana na história supunha-se que o nascimento do homem e o da sua cultura fossem eventos simultâneos; que fossem, de fato, o *mesmo* evento. Quero dizer que as pessoas de sua cultura pensavam que o homem tinha nascido *à imagem delas*. Supunha-se que a agricultura fosse tão instintiva para o homem quanto a produção de mel é para as abelhas.

– Sim, é o que parece.

– Quando as pessoas de sua cultura encontraram os caçadores-coletores da África e da América, pensaram que aquelas pessoas haviam *degenerado* do estado natural agrícola, que haviam *perdido* as artes com as quais haviam nascido. Os Pegadores não faziam ideia de que viam o que eles mesmos haviam sido antes da revolução agrícola. Pelo que sabiam, *não* havia nenhum "antes". A criação tinha ocorrido havia poucos milhares de anos, e o Homem Agricultor imediatamente se pusera a erguer a civilização.

– Sim, isso mesmo.

– Entende como isso se deu?

– Como se deu o quê?

– Como a perda de memória de seu próprio período pré-revolucionário foi total. Tão completa que nem sabiam que existira.

– Não, não entendo. Sinto que deveria, mas não entendo.

– Você mesmo observou que a Mãe Cultura ensina que o passado é sucata, algo de que se deve fugir.

– Sim.

– E estou observando que, aparentemente, ela vem ensinando essa lição desde o princípio.

– Sim, entendo. Está começando a ficar claro. Eu disse que sempre sentimos que os povos Largadores têm um passado que se estende até a aurora dos tempos. Quanto aos Pegadores, sentimos que seu passado se estende até 1963.

Ismael concordou e prosseguiu:

– Ao mesmo tempo, devemos notar que a antiguidade é um grande avalizador para as pessoas de sua cultura, desde que sua função se restrinja a isso. Por exemplo, os ingleses querem que todas as suas instituições, e todo o cerimonial cercando essas instituições, sejam os mais antigos possíveis (mesmo quando não são). No entanto, eles próprios não vivem como os antigos bretões viviam, nem têm vontade disso. O mesmo pode ser dito dos japoneses. Estimam os valores de seus ancestrais mais sábios e nobres e lastimam seu desaparecimento, mas não têm o menor interesse em viver como esses ancestrais mais sábios e nobres viviam. Em resumo, costumes antigos são bons para instituições, cerimônias e feriados, mas os Pegadores não querem adotá-los para o viver cotidiano.

– É verdade.

7

– Mas é claro que a Mãe Cultura não ensinou que *tudo* no passado devia ser descartado. O que devia ser salvo? O que, de fato, foi salvo?

– Diria que foram as informações sobre como fabricar coisas, como fazer coisas em geral.

– Tudo relacionado com a produção seguramente foi salvo. E é assim que *as coisas vieram a ser como são*.

— Sim.

— É claro que os Largadores também guardam informações sobre produção, ainda que a produção por si só raramente seja um traço de suas vidas. Entre os Largadores, não há cotas semanais de potes ou pontas de flecha para cumprir. Eles não estão preocupados com acelerar a produção de machadinhas.

— É verdade.

— Portanto, ainda que preservem informações sobre produção, a maioria das informações que guardam é de outro tipo. Como caracterizaria essas informações?

— Parece que já respondeu a essa pergunta há alguns minutos. Diria que são sobre aquilo que dá certo para eles.

— Para eles? Não para todos?

— Não. Não sou nenhum antropólogo, mas li o bastante para saber que os zunis não acham que seu modo de viver sirva para todos, e também que os navajos não acham que seu modo de viver sirva para todos. Cada povo tem um modo que dá certo para *si*.

— E o que dá certo para eles é o que ensinam a seus filhos.

— Sim. E ensinamos a nossos filhos como fazer as coisas. Como fazer mais e melhores coisas.

— Por que não lhes ensinam o que dá certo para as pessoas?

— Diria que é porque não *sabemos* o que dá certo para as pessoas. Cada geração aparece com sua própria versão do que dá certo para as pessoas. Meus pais tinham a versão deles, que era bastante inútil, e os pais deles tinham a versão *deles*, que era bastante inútil, e atualmente desenvolvemos nossa própria versão, que provavelmente parecerá bastante inútil para nossos filhos.

— Deixei a conversa se desviar de seu curso — resmungou Ismael e mudou de posição, fazendo o vagão balançar sobre as molas. — Queria que entendesse que cada cultura Largadora é uma acumulação de conhecimento que se estende numa linha ininterrupta até o princípio da vida humana. Por isso não é de espantar que cada uma delas tenha um modo que dá certo. Foram testados e refinados ao longo de milhares de gerações.

– Sim. Lembrei de uma coisa.

– Diga.

– Dê-me um minuto. Tem algo a ver com... a ausência de conhecimento sobre como as pessoas devem viver.

– Não se precipite.

– Certo – comecei, minutos depois. – Logo no início, quando eu disse que não havia nada parecido com um conhecimento exato sobre como as pessoas deviam viver, quis dizer isto: conhecimento *exato* é o conhecimento do *único modo correto*. É isso que buscamos. É isso que os Pegadores querem. Não queremos um modo de viver que dê certo. Queremos saber qual é *o único modo*. E é isso que nossos profetas nos deram. E é isso que nossos legisladores nos dão. Deixe-me pensar sobre isso... Após cinco mil ou oito mil anos de amnésia, os Pegadores realmente não sabiam como viver. Devem realmente ter dado as costas ao passado porque, de repente, eis que aparece Hamurábi e todos lhe perguntam: "O que é isso?" E Hamurábi responde: "Isso, meus filhos, são *leis*". "Leis? O que são leis?" E Hamurábi responde: "Leis ensinam *o modo certo* de viver". O que estou tentando dizer?

– Não sei bem.

– Talvez seja isso. Quando começou a falar de nossa amnésia cultural, pensei que fosse em sentido metafórico. Ou talvez um exagero para ilustrar seu argumento. Porque, obviamente, seria impossível saber o que pensavam os agricultores neolíticos. No entanto, eis o fato: depois de poucos milhares de anos, os descendentes desses agricultores neolíticos coçavam a cabeça e diziam: "Puxa, como será que as pessoas devem viver?" Mas, ao longo do mesmo período, os Largadores do mundo todo *não* haviam se esquecido de como viver. *Eles* ainda sabiam, mas as pessoas de minha cultura haviam se esquecido, haviam se separado de uma tradição que lhes dizia como viver. *Precisavam* de um Hamurábi que lhes dissesse como viver. *Precisavam* de um Drácon, de um Sólon, de um Moisés, de um Jesus e de um Maomé. E os Largadores não precisavam, porque tinham um modo, tinham uma profusão de modos que... Espere, acho que peguei.

– Não tenha pressa.

– Todos os modos dos Largadores surgiram por evolução, por um processo de testes que começou antes de as pessoas terem um nome para defini-lo. Ninguém disse: "Muito bem, vamos formar uma comissão e escrever uma série de leis para seguirmos". Nenhuma dessas culturas foi *invenção*. Mas isso é tudo o que nossos legisladores nos dão: invenções, maquinações. Não coisas que foram testadas ao longo de milhares de gerações, mas sim declarações arbitrárias sobre *o único modo certo* de viver. Não se pode fazer um aborto a não ser que o feto esteja ameaçando sua vida ou tenha sido fruto de um estupro. Há muita gente que gostaria de ver a lei escrita desse jeito. Por quê? Porque é *o único modo certo* de viver. Você pode se matar de tanto beber, mas, se pegarmos você fumando um cigarro de maconha, vai para o xadrez, garotão, porque esse é *o único modo certo*. Ninguém dá a mínima se nossas leis funcionam bem. Funcionar bem não vem ao caso... Outra vez, não sei aonde quero chegar.

Ismael grunhiu.

– Não precisa chegar a um ponto específico. Está explorando um emaranhado de ideias, e não pode esperar decifrá-lo em vinte minutos.

– É verdade.

– Contudo, gostaria de salientar um aspecto antes de prosseguirmos.

– Certo.

– Percebe agora que os Pegadores e os Largadores acumulam dois tipos totalmente diferentes de conhecimento?

– Sim. Os Pegadores acumulam conhecimento sobre o que dá certo com *coisas*. Os Largadores acumulam conhecimento sobre o que dá certo com *pessoas*.

– Mas não para *todas* as pessoas. Cada povo Largador tem um sistema que dá certo para eles porque *evoluiu* entre eles. Era adequado para o território em que viviam, para o clima em que viviam, para a comunidade biológica em que viviam, para seus próprios gostos, preferências e visões do mundo.

– Sim.

– E como se chama esse tipo de conhecimento?

– Não sei o que você está querendo dizer.

– Alguém que sabe o que dá certo para as pessoas tem o quê?

– Bom... sabedoria?

– Claro! Agora, você sabe que o conhecimento do que dá certo para a produção é o que sua cultura valoriza. Da mesma forma, o conhecimento do que dá certo para as pessoas é o que as culturas Largadoras valorizam. E, toda vez que os Pegadores eliminam uma cultura Largadora, uma sabedoria profundamente testada desde o nascimento da humanidade desaparece do mundo sem deixar vestígios, assim como, toda vez que eliminam uma espécie, uma forma de vida profundamente testada desde o nascimento da vida desaparece do mundo sem deixar vestígios.

– Terrível! – disse eu.

– Sim – replicou Ismael. – É terrível.

9

Após coçar a cabeça e a orelha por alguns minutos, Ismael mandou-me dormir.

– Estou cansado – explicou. – E com tanto frio, que já não consigo pensar.

ONZE

1

A chuva fina continuava, e quando cheguei, ao meio-dia do dia seguinte, não encontrei nem mesmo a quem subornar. Conseguira dois cobertores para Ismael numa loja do Exército, e um para mim com o fim de acalmá-lo. Aceitou-os com um resmungo de agradecimento, mas não pareceu descontente em usá-los. Ficamos sentados, mergulhados em melancolia, até que ele relutantemente começou.

– Pouco antes da minha partida (não me lembro o que ocasionou a pergunta), você quis saber quando falaríamos da história encenada pelos Largadores.

– Sim, isso mesmo.

– Por que está interessado em conhecer essa história?

A pergunta me deixou desconcertado.

– Por que eu não estaria interessado?

– Quero saber para que acha que isso serviria. Sabe que Abel está mais do que morto.

– Bom... sei.

– Então, por que quer conhecer a história que ele encenava?

– Insisto, por que *não* conhecer?

Ismael sacudiu a cabeça.

– Não estou disposto a prosseguir desse jeito. O fato de que não posso lhe dar razões para não aprender algo não me dá um motivo para ensinar.

Era óbvio que estava de mau humor. Não podia recriminá-lo, nem tampouco solidarizar-me, já que fora ele que insistira em proceder daquele jeito.

– É apenas uma questão de curiosidade? – continuou ele.

– Não diria isso. Você disse no começo que duas histórias foram encenadas aqui. Já sei uma delas. Parece natural que eu queira conhecer a outra.

– Natural... – disse ele, como se não gostasse muito da palavra. – Preferiria uma resposta mais consistente. Que me fizesse sentir que não sou o único aqui que precisa usar a cabeça.

– Acho que não estou entendendo.

– Sei que não, e é isso que me irrita. Você se tornou um ouvinte passivo. Desliga a cabeça quando chega aqui e volta a ligá-la quando vai embora.

– Não é verdade.

– Então, me diga por que não é somente uma perda de tempo aprender uma história totalmente extinta.

– Bom, *eu* não considero uma perda de tempo.

– Não é o suficiente. O fato de uma tarefa não ser *uma perda de tempo* não me inspira a executá-la.

Encolhi os ombros, impotente.

Ele sacudiu a cabeça, totalmente indignado.

– Você acha realmente que aprender a história seria inútil. É óbvio que acha.

– Não é óbvio para mim.

– Então, acha que tem utilidade?

– Bom... sim.

– Qual?

– Meu Deus... *Quero* aprendê-la, só isso.

– Não prosseguirei nessa base. *Quero* prosseguir, mas não apenas para satisfazer sua curiosidade. Vá embora e volte quando puder me dar uma razão genuína para continuar.

– O que seria uma razão genuína? Dê-me um exemplo.

– Certo. Para que saber que história está sendo encenada aqui pelas pessoas de sua própria cultura?

– Porque encenar essa história está destruindo o mundo.

– É verdade. Mas para que saber a história?

– Porque é algo que obviamente precisa ser sabido.

– Por quem?

– Por todo mundo.

– Por quê? É a isso que acabo voltando. Por quê, por quê, por quê? Por que sua gente deve saber que história está encenando enquanto destrói o mundo?

– Para que possamos *parar* de encená-la. Para que possamos ver que não estamos apenas cometendo falhas quando fazemos o que fazemos. Para que entendamos que estamos imersos numa fantasia megalomaníaca, tão insana como o Reich de Mil Anos.

– Por isso vale a pena conhecer a história?

– Sim.

– Fico satisfeito em ouvir isso. Agora vá embora e volte quando puder explicar por que vale a pena conhecer a outra história.

– Não preciso ir embora. Posso explicar agora.

– Vá em frente.

– Não se pode simplesmente *abandonar* uma história. Foi o que a garotada tentou fazer nos anos 1960 e 1970. Tentaram parar de viver como Pegadores, mas não havia nenhum outro modo de viver. Fracassaram porque não se pode simplesmente parar de encenar uma história, é preciso começar a encenar outra.

Ismael assentiu com um gesto de cabeça.

– E, se há uma outra história, as pessoas deveriam conhecê-la?

– Sim, deveriam.

– Acha que *querem* conhecê-la?

– Não sei. Não creio que se possa querer alguma coisa antes de saber que ela existe.

– É bem verdade.

2

– E sobre o que acha que é a história?

– Não faço ideia.

– Acha que é sobre caça e extrativismo?

– Não sei.

– Seja franco. Não está esperando alguma nobre celebração dos mistérios da Grande Caçada?

– Não tenho consciência de esperar nada parecido.

– Bom, deve pelo menos saber que é sobre o sentido do mundo, sobre as intenções divinas no mundo e sobre o destino do homem.

– Sim.

– Como já disse meia dúzia de vezes, o homem *se tornou* homem encenando essa história. Deve estar lembrado disso.

– Sim, me lembro.

– Como o homem se tornou homem?

Examinei o terreno minado da pergunta e a devolvi.

– Não entendi o significado dessa pergunta – disse eu. – Ou melhor, não sei bem que tipo de resposta espera. Obviamente, não quer que eu diga que o homem se tornou homem pela evolução.

– Significaria apenas que ele se tornou homem se tornando homem, não é?

– Sim.

– Então, a pergunta continua sem resposta. Como o homem se tornou homem?

– Desconfio que seja uma dessas coisas bem óbvias.

– Sim. Se lhe der a resposta, você dirá: "Sim, é claro, mas e daí?".

Encolhi os ombros, derrotado.

– Teremos de nos aproximar dela indiretamente. Mas não se esqueça de que a pergunta precisa ser respondida.

– Está bem.

– De acordo com a Mãe Cultura, que tipo de evento foi a revolução agrícola?

– Que *tipo* de evento... Diria que, segundo a Mãe Cultura, foi um evento tecnológico.

– Não teve implicações humanas mais profundas, culturais ou religiosas?

– Não. Os primeiros lavradores eram apenas tecnocratas neolíticos. Essa foi sempre a impressão.

– Mas, depois de nossa visita aos capítulos 3 e 4 do Gênese, viu que teve um significado bem maior do que prega a Mãe Cultura.

– Sim.

– Teve e ainda tem um significado maior, é claro, já que a revolução continua avançando. Adão ainda mastiga o fruto da árvore proibida e, onde Abel sobrevive, Caim continua presente, perseguindo-o de faca em punho.

– Correto.

– Há outra indicação de que a revolução não se restringe à mera tecnologia. A Mãe Cultura ensina que, antes da revolução, a vida humana não tinha sentido: era vazia, sem valor. A vida pré-revolucionária era feia, detestável.

– Sim.

– Você mesmo acredita nisso, não?

– Suponho que sim.

– Certamente, a maioria acredita nisso, não é mesmo?

– Sim.

– Quem seriam as exceções?

– Não sei. Talvez os... antropólogos.

– Gente que efetivamente conhece essa vida.

– Sim.

– Mas a Mãe Cultura ensina que era uma vida absolutamente detestável.

– Isso mesmo.

– Pode imaginar alguma circunstância em que você trocaria sua vida por esse tipo de vida?

– Não. Francamente, não consigo imaginar por que alguém faria essa troca, se tivesse a escolha.

– Os Largadores fariam. Ao longo da história, o único modo que os Pegadores acharam de afastá-los dessa vida foi pela força bruta, pela matança indiscriminada. Na maioria dos casos, acharam mais fácil simplesmente exterminá-los.

– É verdade. Mas a Mãe Cultura tem algo a dizer a esse respeito. Ela diz que os Largadores simplesmente não sabiam o que estavam perdendo. Não entendiam os benefícios da vida agrícola, e por isso se agarravam à vida de caçadores-coletores com tanta tenacidade.

Ismael deu um sorriso malicioso.

– Entre os índios deste país, quem foram os oponentes mais ferozes e decididos dos Pegadores?

– Bem... diria que foram os índios das planícies.

– Acho que a maioria de vocês concordaria. Mas, antes de os espanhóis introduzirem os cavalos, os índios das planícies haviam sido agricultores durante *séculos*. Assim que os cavalos se tornaram disponíveis, abandonaram a agricultura e retomaram a vida de caçadores-coletores.

– Não sabia disso.

– Bom, agora sabe. Os índios das planícies teriam entendido os benefícios da vida agrícola?

– Acredito que sim.

– O que a Mãe Cultura diz?

Pensei um pouco e depois comecei a rir.

– Ela diz que eles nunca entenderam *de verdade*. Caso contrário, jamais teriam voltado à caça e à extração.

– Porque é uma vida detestável.

– Isso mesmo.

– Acho que começa a ver o quanto são eficazes os ensinamentos da Mãe Cultura a esse respeito.

– É verdade. Mas não vejo aonde isso nos leva.

– Estamos a caminho de descobrir a raiz de seu medo e repulsa pela vida dos Largadores. Estamos a caminho de descobrir por que sentem que precisam levar a revolução adiante, mesmo destruindo a si próprios e ao mundo todo. Estamos a caminho de descobrir contra o que é sua revolução.

– Ah... – murmurei.

– E, quando tivermos feito tudo isso, tenho certeza de que poderá me dizer que história era encenada aqui pelos Largadores durante os primeiros três milhões de anos da vida humana, e que continuam encenando onde ainda sobrevivem hoje em dia.

4

Depois de falar de sobrevivência, Ismael estremeceu e se afundou nos cobertores com um gemido. Por um minuto, pareceu se perder no incansável martelar da chuva sobre a lona do teto. Então, pigarreou, tossiu e continuou:

— Pensemos assim: por que a revolução foi *necessária*?

— Foi necessária para que o homem chegasse a algum lugar.

— Você quer dizer, se o homem tivesse aquecimento central, universidades, óperas e espaçonaves.

— Isso mesmo.

Ismael aquiesceu.

— Esse tipo de resposta teria sido aceitável quando começamos nosso trabalho, mas quero que vá mais fundo agora.

— Tudo bem. Mas como assim, "mais fundo"?

— Sabe muito bem que, para centenas de milhões de Pegadores, coisas como aquecimento central, universidades, óperas e espaçonaves pertencem a um mundo remoto e inacessível. Centenas de milhões vivem em condições que a maioria das pessoas deste país mal pode imaginar. Mesmo neste país, milhões estão sem teto ou vivem na escassez e desespero em favelas, prisões e instituições públicas que não são muito melhores que as prisões. Para essas pessoas, sua fácil justificativa para a revolução agrícola seria completamente sem sentido.

— É verdade.

— Mas, apesar de não gozarem dos frutos da revolução, elas lhe dão as costas? Trocariam a miséria e o desespero pelo tipo de vida que existia na época pré-revolucionária?

— A resposta, outra vez, é "não".

— Também tenho essa impressão. Os Pegadores acreditam em sua revolução, mesmo quando não gozam de nenhum de seus benefícios. Não há quem se queixe, não há dissidentes ou contrarrevolucionários. Todos acreditam piamente que, por piores que estejam as coisas agora, ainda são infinitamente preferíveis ao que existia antes.

— Sim, concordo.

– Hoje, quero que procure a raiz dessa extraordinária crença. Quando a tiver encontrado, terá uma compreensão completamente diferente de sua revolução, bem como da vida dos Largadores.

– Certo. Mas como fazer isso?

– Escute a Mãe Cultura. Ela sussurrou em seus ouvidos a vida toda, e o que você ouviu não é diferente do que seus pais e avós ouviram, do que as pessoas do mundo todo ouvem diariamente. Em outras palavras, o que busco é uma herança que está enterrada em sua mente e em todas as mentes de sua cultura. Hoje, quero que desenterre essa herança. A Mãe Cultura os ensinou a ter horror à vida que levavam antes da revolução, e quero que descubra as raízes desse horror.

– Está bem – disse eu. – É verdade que sentimos uma espécie de horror a essa vida, mas o problema é que não me parece que haja algo estranho.

– Não? Por quê?

– Não sei. É uma vida que não leva a nada.

– Chega de respostas superficiais. Vai fundo.

Com um suspiro, aninhei-me no cobertor e comecei a ir fundo.

– É interessante – disse eu, minutos depois. – Estava aqui pensando no jeito que nossos ancestrais viveram, e uma imagem muito específica surgiu em minha mente.

Ismael esperou que eu prosseguisse.

– Tem uma certa aura onírica. Ou de pesadelo. Um homem se arrasta ao longo de uma encosta de uma montanha durante o crepúsculo. É sempre crepúsculo nesse mundo. O homem é baixo, magro, moreno e está nu. Corre meio agachado, à procura de pegadas. Caça, e está desesperado. A noite vem chegando e ele não tem o que comer.

"Ele corre e corre sem parar, como se estivesse sobre uma esteira rolante, pois ainda estará correndo ao entardecer do dia seguinte, ou voltará a correr. Mas não é somente a fome e o desespero que o movem: também o terror. Atrás da encosta da montanha, quase à vista, seus inimigos espreitam para fazê-lo em pedaços: leões, lobos, tigres. Por isso ele precisa correr para sempre, eternamente um passo atrás de sua presa e um passo à frente de seus inimigos.

"A encosta da montanha representa, é claro, o limiar da sobrevivência. O homem vive no limiar da sobrevivência, e precisa lutar eternamente para não cair. Na verdade, parece que a montanha e o céu se movem, e não ele. Corre sem sair do lugar, acossado, sem chegar a parte alguma."

— Em outras palavras, os caçadores-coletores levam uma vida muito cruel.

— Sim.

— E por quê?

— Porque lutam somente para continuar vivos.

— Mas, na verdade, não é nada disso. Estou certo de que sabe disso, em outro compartimento de sua mente. Os caçadores-coletores vivem no limiar da sobrevivência tanto quanto os lobos, os leões, os pardais e os coelhos. O homem estava tão bem adaptado neste planeta quanto todas as outras espécies, e a ideia de que vivia no limiar da sobrevivência não passa de um absurdo biológico. Sendo onívoro, suas possibilidades alimentares são imensas. Milhares de espécies passariam fome antes dele. Sua inteligência e destreza lhe permitem viver confortavelmente em condições que arrasariam qualquer outro primata.

"Longe de viverem numa busca infindável e desesperada por alimento, os caçadores-coletores estão entre os povos mais bem-nutridos da Terra, e conseguem isso somente com duas ou três horas por dia do que vocês chamam 'trabalho' — o que os torna um dos povos mais livres da Terra. Em seu livro sobre a economia da Idade da Pedra, Marshall Sahlins os descreveu como 'a sociedade abastada original'. E, a propósito, a caça ao homem é quase inexistente. O homem simplesmente não é a primeira escolha do cardápio de qualquer predador. Logo, está vendo que sua visão aterrorizante da vida de seus ancestrais não passa de outra bobagem da Mãe Cultura. Se quiser, pode confirmar isso passando uma tarde na biblioteca."

— Certo — disse eu. — E então?

— Então, agora que sabe que era uma bobagem, mudou de opinião sobre essa vida? Ela lhe parece menos repulsiva?

— Talvez menos, mas ainda repulsiva.

— Considere esta situação. Imagine que é um dos sem-teto deste país: desempregado, sem profissão, a esposa também, com dois filhos. Não tem a quem recorrer, não tem futuro, não tem esperança. Mas eu lhe dou uma caixa com um botão. Apertando-o, serão todos transportados instantaneamente à época pré-revolucionária. Entenderão a língua então falada e saberão fazer o que todos fazem. Você nunca mais terá de se preocupar com o sustento da família. Estará com tudo, será parte da sociedade abastada original.

– Certo.

– Então, apertaria o botão?

– Não sei. Tenho minhas dúvidas.

– Por quê? Não estaria deixando uma vida maravilhosa aqui. Segundo essa hipótese, a vida que leva aqui é miserável, e não é provável que melhore. Então, a outra vida lhe parece pior ainda. Não é que não suportaria abandonar a vida que leva, e sim que não suportaria adotar a outra vida.

– Sim, isso mesmo.

– O que torna essa vida tão aterrorizante?

– Não sei.

– Parece que a Mãe Cultura fez um bom trabalho com você.

– Sim.

– Tudo bem, pensemos assim. Sempre que os Pegadores encontraram caçadores-coletores ocupando espaços que queriam para si, tentaram explicar-lhes por que deveriam abandonar seu estilo de vida e se tornar Pegadores. Disseram: "A vida de vocês não só é miserável como errada. O homem não nasceu para viver desse modo. Então, não resistam. Juntem-se à nossa revolução e ajudem-nos a tornar o mundo um paraíso para o homem".

– Certo.

– Você fará o papel do missionário cultural e eu farei o papel do caçador-coletor. Explique-me por que a vida que eu e meu povo achamos satisfatória durante milhares de anos é cruel, revoltante e repulsiva.

– Santo Deus...

– Deixe que eu começo... Buana, está dizendo que nosso modo de viver é miserável, errado e vergonhoso. Diz que as pessoas não nasceram para viver assim. Estamos confusos, Buana, porque durante milhares de anos pensamos que fosse um bom modo de viver. Mas se vocês, que voam até as estrelas e enviam suas palavras pelo mundo com a velocidade do pensamento, acham que não é um bom modo, então devemos ser sensatos e ouvir o que têm a dizer.

– Bom, eu sei que acham essa vida boa, mas isso é porque são ignorantes, incultos e estúpidos.

– Exatamente, Buana. Esperamos que nos ilumine. Diga-nos por que nossa vida é miserável, pobre e vergonhosa.

– Sua vida é miserável, pobre e vergonhosa porque vivem como animais.

Ismael franziu a testa, surpreso.

– Não entendo, Buana. Vivemos como os outros vivem. Tomamos do mundo aquilo de que precisamos e deixamos o resto em paz, assim como fazem o leão e o cervo. O leão e o cervo levam vidas vergonhosas?

– Não, mas são animais. Não é correto que os humanos vivam assim.

– Ah, não sabíamos – disse Ismael. – E por que não é certo viver assim?

– Porque vivendo assim... não têm controle sobre suas vidas.

– Precisamos controlar nossas vidas em que sentido, Buana?

– Precisam ter controle sobre a necessidade mais básica de todas: a alimentação.

– Estou mais confuso ainda, Buana. Quando temos fome, saímos e procuramos algo para comer. Que outro controle é necessário?

– Teriam mais controle se vocês mesmos plantassem.

– Como assim, Buana? Que importa quem planta o alimento?

– Se vocês plantarem, saberão com toda a certeza que o alimento estará lá.

Ismael soltou uma gargalhada gostosa.

– Realmente, você me surpreende, Buana! *Já* sabemos com toda certeza que o alimento estará lá. O mundo da vida é feito de alimento. Acha que ele fugirá durante a noite? Para onde iria? Está sempre lá, dia após dia, estação após estação, ano após ano. Caso contrário, não estaríamos aqui, falando disso.

– Sim, mas se vocês mesmos plantassem, controlariam a *quantidade* de alimento. Seriam capazes de dizer: "Bem, este ano teremos mais mandiocas, este ano teremos mais feijões, este ano teremos mais morangos".

– Buana, tudo isso cresce em abundância sem o menor esforço de nossa parte. Para que ter o trabalho de plantar o que nasce sozinho?

– Sim, mas... nunca ficam sem? Nunca têm vontade de comer mandioca, mas descobrem que as mandiocas acabaram, que não nascem mais sozinhas na floresta?

– Sim, às vezes. Mas não acontece o mesmo com vocês? Não há vezes em que querem mandioca mas descobrem que não há mais em suas plantações?

– Não, porque, se quisermos comer mandioca, vamos ao mercado e compramos mandioca em lata.

– Sim, já ouvi falar desse sistema. Diga-me uma coisa, Buana: quantas pessoas trabalharam para colocar essa mandioca em lata na prateleira?

– Ah, creio que centenas. Cultivadores, ceifeiros, caminhoneiros, limpadores da fábrica de enlatados, operários, encaixotadores, caminhoneiros para distribuir os caixotes, funcionários do mercado para desencaixotar as latas, e assim por diante.

– Perdão, Buana, mas vocês parecem lunáticos. Têm todo esse trabalho só para jamais sofrerem a decepção de não comer mandioca. Quando nós queremos uma mandioca, simplesmente a cavamos do chão. E, se não encontramos nenhuma, procuramos algo para comer no lugar. Assim não é necessário que centenas de pessoas trabalhem para nos colocar uma mandioca na mão.

– Não entendeu a questão.

– Não entendi mesmo, Buana.

Reprimi um suspiro.

– Ouça, eis a questão: a menos que controlem seu próprio estoque de alimentos, viverão à mercê do mundo. Não importa se sempre houve o suficiente. Não é essa a questão. Não podem depender dos caprichos dos deuses. Não é o jeito humano de se viver.

– Por quê, Buana?

– Bom... Suponha que um dia vocês saíram para caçar e voltaram com um cervo. Ótimo, maravilhoso. Mas não tiveram controle nenhum sobre a presença do cervo, certo?

– Não, Buana.

– Certo. No dia seguinte, saem para caçar, mas não encontram nenhum cervo. Isso nunca aconteceu?

– Certamente que sim, Buana.

– Aí está. Como não têm nenhum controle sobre os cervos, ficaram sem cervos. Então, o que fazem?

Ismael encolheu os ombros.

– Fazemos armadilhas e caçamos alguns coelhos.

– Exatamente. Não deveriam se conformar com coelhos se o que querem são cervos.

– E é por isso que nossa vida é vergonhosa, Buana? É por isso que devemos abandonar uma vida que amamos para trabalhar numa de suas fábricas? Porque comemos coelhos quando acontece de não aparecer nenhum cervo?

– Não, deixe-me terminar. Vocês não têm controle sobre os cervos nem sobre os coelhos. Suponha que saíram para caçar um dia e não encontraram nem cervos *nem* coelhos. O que fariam então?

– Comeríamos outra coisa, Buana. O mundo está cheio de alimento.

– Sim, mas veja. Se não têm controle *nenhum* sobre nada... – Arreganhei os dentes para ele. – Veja, não há garantia nenhuma de que o mundo *sempre* estará cheio de alimento, certo? Nunca tiveram uma seca?

– Certamente, Buana.

– Bom, e o que aconteceu?

– A vegetação seca, as plantas secam, as árvores deixam de dar frutos, a caça desaparece, os predadores definham.

– E o que acontece a vocês?

– Se a seca for muito forte, nós também definhamos.

– Quer dizer que *morrem*, não é?

– Sim, Buana.

– Ahá! *Chegamos* ao ponto.

– É vergonhoso *morrer*, Buana?

– Não... Já sei, a questão é a seguinte: vocês morrem porque vivem à mercê dos deuses. Morrem porque acham que os deuses vão tomar conta de vocês. Isso serve para os animais, mas vocês deviam ser mais espertos.

– Não devemos confiar nossa vida aos deuses?

– Absolutamente não. Deviam confiar sua vida a *si mesmos*. Esse é o modo humano de viver.

Ismael balançou a cabeça pesadamente.

– É uma tristeza o que está dizendo, Buana. Desde tempos imemoriais, vivemos nas mãos dos deuses, e parecia que vivíamos bem. Deixávamos aos deuses todo o trabalho de semear e cultivar e levávamos uma vida sossegada. Parecia que sempre haveria o suficiente no mundo para vivermos, pois, veja bem, *cá estamos nós*!

– Sim, estão aqui – disse eu, bem sério. – E olhem para vocês. Não têm nada, nem roupas, nem moradias. Vivem sem segurança, sem conforto, sem oportunidades.

– E isso porque vivemos nas mãos dos deuses?

– Certamente. Nas mãos dos deuses, não são mais importantes do que os leões, os lagartos e as pulgas. Nas mãos *desses* deuses, desses deuses que cuidam dos leões, dos lagartos e das pulgas, vocês não são nada de especial. São apenas outra espécie para ser alimentada. Espere um pouco – disse eu, e fechei os olhos por alguns instantes. – Ouça, isso é importante. Os deuses não fazem nenhuma distinção entre vocês e qualquer outra criatura. Não, não é bem isso. Espere. – Voltei a ruminar, depois tentei outra vez. – Pois bem: o que os deuses lhes fornecem é o bastante para que vivam como *animais*. Admito isso. Mas, para viverem como humanos, *vocês* precisam tomar as providências. Os deuses não farão isso.

Ismael olhou-me com assombro.

– Quer dizer que há algo de que precisamos e que os deuses não nos dão, Buana?

– Sim, aparentemente. Eles lhes dão aquilo de que precisam para viver como animais, mas precisam de *mais do que isso* para viver como humanos.

– Mas como pode ser isso, Buana? Como pode ser que os deuses sejam sábios o bastante para criar o universo, o mundo e a vida que há no mundo, mas não para dar aos humanos aquilo de que precisam para ser humanos?

– Não sei como pode ser, mas é. O fato é esse. O homem viveu nas mãos dos deuses durante três milhões de anos, e no final desse período não progrediu nada, não melhorou nada em relação ao começo.

– Sinceramente, Buana, é muito estranho. Que tipo de deuses *são* esses?

Soltei uma gargalhada.

– São deuses *incompetentes*, meu amigo. É por isso que vocês precisam tirar sua vida das mãos deles inteiramente e tomá-la em suas próprias mãos.

– E como fazer isso?

– Como já disse, precisam começar a plantar seu próprio alimento.

– Mas isso mudará alguma coisa, Buana? Alimento é alimento, não importa se nós ou os deuses o plantamos.

– Essa é justamente a questão. Os deuses plantam apenas aquilo de que vocês precisam. Agora, plantarão *mais* do que precisam.

– Com que fim, Buana? Qual é a vantagem de termos mais alimento do que precisamos?

– Caramba! – gritei. – Entendi!

Ismael sorriu e repetiu.

– Então, qual é a vantagem de termos mais alimento do que precisamos?

– A questão toda é essa! Quando tiverem mais alimento do que precisam, *os deuses não terão mais poder sobre vocês*!

– Poderemos mostrar a língua para eles.

– Exatamente.

– Ainda assim, Buana, o que faremos com o alimento de que não precisamos?

– Armazenem! Guardem para frustrar os deuses quando eles resolverem que é a sua vez de passar fome. Guardem para que, quando eles mandarem uma seca, vocês possam dizer: "Pra cima de mim, não. *Recuso-me* a passar fome e eles não podem fazer nada, porque minha vida está em minhas mãos!"

5

Ismael anuiu com um gesto de cabeça, abandonando seu papel de caçador-coletor.

– Quer dizer que a vida de vocês agora está em suas mãos.

– Isso mesmo.

– Então, por que estão preocupados?

– Como assim?

– Se a vida de vocês está em suas mãos, só depende de vocês continuarem vivos ou entrarem em extinção. É isso que a expressão significa, não é?

– Sim, mas obviamente ainda há certas coisas que não *estão* em nossas mãos. Não poderíamos controlar um colapso ecológico total ou sobreviver a ele.

– Então, ainda não estão a salvo. Quando é que finalmente estarão?

– Quando tirarmos *o mundo todo* das mãos dos deuses.

– Quando o mundo todo estiver em suas próprias mãos, mais competentes.

– Isso mesmo. Então, os deuses finalmente não terão mais poder sobre nós. Não terão mais poder sobre *nada*. Todo o poder estará em nossas mãos e, enfim, seremos livres.

6

– Os Pegadores sempre perceberam que eram alienados dos deuses: que não estavam, por alguma razão, do mesmo lado dos deuses. Acha que as duas coisas estão relacionadas?

– Eu diria que sim. Despedimos os deuses por incompetência. Nós os chutamos para o alto, para fora deste mundo, para o céu. Mandamos os deuses às favas e nos apoderamos do controle operacional do mundo. Naturalmente, os deuses não gostaram muito da ideia.

Ismael concordou com um gesto de cabeça.

– Depois desse ato de rebelião, era preciso apaziguar os deuses. A postura dos Pegadores diante de seus deuses sempre foi de apaziguamento.

– É verdade.

– E o que usam tradicionalmente para aplacar os deuses? Que espécie de osso dão para eles?

– Preces, adoração...

– Pense como um primitivo.

Comecei a rir.

– Não sei do que está falando.

– Os Pegadores tiraram das mãos dos deuses não apenas sua vida, e sim *todas* as vidas. Sob a administração dos Pegadores, tudo o que vive precisa viver não nas mãos dos deuses, mas nas do homem. Vivem as criaturas que os Pegadores desejam que vivam, e morrem as criaturas que os Pegadores desejam que morram. O que roubaram dos deuses foi o domínio sobre a própria vida.

– É verdade.

– Que modo de aplacar os deuses seria adequado para tal crime? Que forma teria essa compensação?

– Deve ser muito óbvio...

– Pense num símbolo que exprimisse: "Tomem, aceitem isso como compensação e moderem sua ira".

– Um sacrifício de sangue.

– Um sacrifício de sangue ou qualquer sacrifício. Uma porção de colheita ou de rebanho, separada para ser restituída aos deuses. Um presente que dizia: "Vejam, não esquecemos de onde isso veio". Por quê?

– Para abrandá-los.

– Sim, mas por que abrandá-los?

– Porque estavam zangados.

– Quis dizer: para que se preocupar? E daí que estavam zangados?

– Ah, estou entendendo. Era preciso abrandá-los porque as pessoas ainda necessitavam de coisas que os deuses controlavam. Muitas coisas ainda estavam nas mãos deles, como a chuva.

– Mas, com o passar do tempo, essa forma de apaziguamento tornou-se cada vez mais frouxa, até cair em desuso. Por quê?

– Porque os Pegadores ficaram tão especialistas em produzir alimentos que se deram ao luxo de ignorar os deuses.

– Até que veio uma seca terrível. Então, lembraram-se do que precisavam fazer. Os deuses estavam descontentes e precisavam ser apaziguados por uma restituição em massa de bezerros, cabras e bois. Até mesmo na era clássica, as pessoas faziam sacrifícios regulares para manter o bom humor dos deuses.

– Sim, nunca tinha me dado conta disso. Estou tentando lembrar qual era a concepção de sacrifício dos Pegadores. Quero dizer, na era clássica, o que as pessoas pensavam que estavam fazendo? Para que derramar uma taça de vinho no chão? Por que isso abrandaria os deuses?

– Não havia motivo para investigar o assunto. Era apenas a sabedoria herdada das épocas em que aquilo os abrandava.

– É verdade.

7

– Muito bem – disse Ismael. – Estamos fazendo progresso?

– Creio que sim.

– Acha que encontramos a raiz de sua repulsa pelo tipo de vida que havia nos tempos anteriores à revolução?

– Sim. Sem dúvida, o conselho mais fútil que Cristo jamais ofereceu foi quando disse: "Não vos preocupeis com o amanhã. Não vos preocupeis se tereis o que comer. Olhai os pássaros do céu. Eles não semeiam, não ceifam, não armazenam em celeiros, mas Deus zela por eles. Não achais que Ele fará o mesmo por vós?" Em nossa cultura, a resposta sempre foi um esmagador "claro que não!". Até mesmo os monges mais dedicados trataram de semear, ceifar e armazenar em celeiros.

– E São Francisco de Assis?

– São Francisco vivia da generosidade dos fazendeiros, não da generosidade de Deus. Até os mais fundamentalistas ficam de cabelos em pé quando Jesus começa a falar dos pássaros do céu ou dos lírios do campo. Sabem muito bem que é somente conversa, um discurso bonito.

– Então, acha que é isso que está na raiz de sua revolução. Vocês queriam e ainda querem tomar sua vida em suas mãos.

– Sim, com toda a certeza. Para mim, viver de qualquer outro modo é quase inconcebível. Só consigo imaginar que os caçadores-coletores vivem num estado de profunda e eterna ansiedade em relação ao dia de amanhã.

– Mas não é assim. Qualquer antropólogo lhe diria isso. São bem menos ansiosos do que vocês. Não têm empregos a perder. Ninguém lhes diz: "Mostre-me o dinheiro ou não terá alimentos, roupas, abrigo..."

– Acredito. Meu lado racional acredita. Mas estou falando de meus sentimentos, de meu condicionamento. A Mãe Cultura me diz que viver nas mãos dos deuses só pode ser um pesadelo interminável, cheio de terror e ansiedade.

– Foi o que sua revolução fez por vocês: afastou-os do alcance desse pesadelo assustador, afastou-os do alcance dos deuses.

– Sim, é isso.

– Então, temos um novo par de definições. Os Pegadores são os que conhecem o bem e o mal, e os Largadores são?...

– Os Largadores são os que vivem nas mãos dos deuses.

DOZE

1

Por volta das três horas, a chuva parou. O parque de diversões bocejou, espreguiçou-se e voltou ao trabalho, separando a gente simplória de seu dinheiro. Outra vez sem ter o que fazer, fiquei um pouco por lá e deixei-me separar de alguns trocados, até que finalmente tive a ideia de procurar o dono de Ismael. Era um negro de olhar penetrante de nome Art Owens, que media um metro e oitenta e passava mais tempo levantando pesos do que eu datilografando. Disse-lhe que estava interessado em comprar o gorila.

– É mesmo? – retrucou ele, sem se mostrar desdenhoso, impressionado, interessado, nem coisa alguma.

Confirmei e perguntei quanto custaria.

– Custaria cerca de três mil dólares.

– Não estou tão interessado assim.

– De quanto é seu interesse? – Estava apenas curioso, e não pessoalmente interessado.

– Estava calculando uns mil dólares.

Sorriu com desprezo, mas só um pouco, quase com educação. Por algum motivo, gostei do sujeito. Era do tipo que tem um diploma de direito da Harvard jogado numa gaveta qualquer porque nunca encontrou nada de interessante para fazer com ele.

– É um animal muito velho – argumentei. – Os Johnson o trouxeram para cá nos anos 1930.

Isso despertou sua atenção. Perguntou como era que eu tinha aquela informação.

– Conheço o animal – respondi brevemente, como se conhecesse outros milhares.

– Posso chegar a dois e quinhentos – ofereceu ele.

– O problema é que eu *não* tenho dois mil e quinhentos.

– Olhe, já contratei um pintor no Novo México para fazer um cartaz anunciando o gorila – disse ele. – Paguei duzentos dólares de adiantamento.

– Entendo. Daria para eu levantar mil e quinhentos.

– Não vejo como cobrar menos de dois mil e duzentos, o fato é esse.

O fato era que, se eu tivesse dois mil dólares na mão, ele ficaria muito feliz em aceitá-los. Talvez até mil e oitocentos. Eu disse que iria pensar.

2

Era noite de sexta-feira. Os paspalhos só começaram a voltar para casa depois das onze, e meu subornado só apareceu para recolher seus vinte dólares à meia-noite. Ismael dormia sentado, ainda embrulhado nos cobertores, e não tive escrúpulos em acordá-lo. Queria que reavaliasse os atrativos da liberdade.

Ele bocejou, espirrou duas vezes, limpou uma massa de catarro da garganta e me enviou um olhar turvo e malévolo.

– Volte amanhã – disse ele, no que equivalia a um resmungo mental.

– Amanhã é sábado, não dá.

Ele não gostou nada da ideia, mas sabia que eu tinha razão. Tentou adiar o inevitável com uma laboriosa arrumação dos cobertores e da jaula. Depois, acomodou-se e me olhou com aversão.

– Onde paramos?

– Demos duas novas definições para os Pegadores e os Largadores: os que conhecem o bem e o mal e os que vivem nas mãos dos deuses.

Ele grunhiu.

3

– O que *acontece* com as pessoas que vivem nas mãos dos deuses?

– Como assim?

– Quero dizer, o que acontece com as pessoas que vivem nas mãos dos deuses e o que *não* acontece com quem constrói sua vida sobre o conhecimento do bem e do mal?

– Bem, vejamos – disse eu. – Não creio que seja a resposta que espera, mas é a que me ocorreu. As pessoas que vivem nas mãos dos deuses não se proclamam governantes do mundo e não obrigam todos a viverem do seu modo, como fazem as pessoas que conhecem o bem e o mal.

– Inverteu a pergunta – disse Ismael. – Perguntei o que acontece com as pessoas que vivem nas mãos dos deuses que *não* acontece com as que conhecem o bem e o mal, e me respondeu justamente o oposto: o que *não* acontece com as pessoas que vivem nas mãos dos deuses que *acontece* com as que conhecem o bem e o mal.

– Quer saber algo de *positivo* que acontece com as pessoas que vivem nas mãos dos deuses?

– Isso mesmo.

– Bom, elas tendem a deixar os outros viverem do modo que bem entendam.

– Está me dizendo algo que elas *fazem*, não algo que *acontece* com elas. Estou tentando chamar sua atenção para os efeitos desse estilo de vida.

– Sinto muito. Acho que simplesmente não sei aonde quer chegar.

– Sabe, sim, mas não está acostumado a pensar nesses termos.

– Está bem.

– Lembra-se da pergunta que começamos a responder quando chegou esta tarde, sobre como o homem se tornou homem? Ainda estamos procurando a resposta para essa pergunta.

Gemi alto e bom som.

– Por que o gemido? – perguntou Ismael.

– Porque perguntas dessa generalidade me intimidam. Como o homem se tornou homem? Não sei. Só sei que se tornou. Assim como os pássaros se tornaram pássaros e os cavalos se tornaram cavalos.

– Exatamente.

– Não faça isso comigo – protestei.

– É evidente que não entendeu o que acabou de dizer.

– Provavelmente, não.

– Tentarei deixar claro. Antes de se tornar *Homo*, ele era o quê?

– *Australopithecus.*

– Muito bem. E como o *Australopithecus* se tornou *Homo*?

– Esperando.

– Por favor. Está aqui para pensar.

– Sinto muito.

– Por acaso o *Australopithecus* se tornou *Homo* dizendo: "Conhecemos o bem e o mal assim como os deuses, logo não precisamos viver em suas mãos como fazem os coelhos e os lagartos. Daqui por diante, nós decidiremos quem viverá e quem morrerá neste planeta, e não os deuses"?

– Não.

– Poderia se tornar homem dizendo isso?

– Não.

– Por que não?

– Porque deixaria de estar sujeito às condições sob as quais se dá a evolução.

– Exatamente. Agora pode responder à pergunta: o que acontece com as pessoas, com as criaturas em geral, que vivem nas mãos dos deuses?

– Ah, entendi. Elas evoluem.

– E pode responder também à pergunta que fiz esta manhã: como o homem se tornou homem?

– O homem se tornou homem vivendo nas mãos dos deuses.

– Vivendo como vivem os bosquímanos da África.

– Certo.

– Vivendo como vivem os crenacarores do Brasil.

– Certo outra vez.

– Mas não como os moradores de Chicago?

– Não.

– Ou de Londres?

– Não.

– Então, agora sabe o que acontece com as pessoas que vivem nas mãos dos deuses.

– Sim. Elas evoluem.

– Por que elas evoluem?

– Porque estão em *condições* de evoluir. Porque é lá que a evolução acontece. Evoluímos até a humanidade porque estávamos lá, competindo com o resto. Evoluímos até a humanidade porque não nos retiramos da competição, porque ainda estávamos no lugar onde ocorre a seleção natural.

– Quer dizer que ainda eram parte da comunidade geral da vida.

– Isso mesmo.

– E foi por isso que tudo aconteceu. Por isso que o *Australopithecus* se tornou *Homo habilis*, o *Homo habilis* se tornou *Homo erectus*, o *Homo erectus* se tornou *Homo sapiens* e o *Homo sapiens* se tornou *Homo sapiens sapiens*.

– Sim.

– E, depois, o que aconteceu?

– Depois, os Pegadores disseram: "Estamos fartos de viver nas mãos dos deuses. Não queremos mais a seleção natural, muito obrigado".

– E foi dito e feito.

– Dito e feito.

– Lembra-se de que eu disse que encenar uma história era viver de modo a torná-la verdadeira?

– Sim.

– De acordo com a história dos Pegadores, a criação chegou ao fim com o homem.

– Sim. E então?

– Como viver de modo a tornar *isso* uma verdade? Como viver de modo a fazer com que a criação chegue ao fim com o homem?

– Hmmm. Estou entendendo. Vivendo como vivem os Pegadores. Estamos vivendo de um modo que seguramente dará um fim à criação. Se continuarmos assim, não haverá sucessor algum para o homem, para os chimpanzés, para os orangotangos, para os gorilas, para nada que agora vive. Tudo o que existe chegará ao fim conosco. Para tornar essa história verdadeira, os Pegadores devem terminar com a própria criação. E estão fazendo um ótimo trabalho.

4

– No início, quando eu o ajudava a descobrir a premissa da história dos Pegadores, disse-lhe que a história dos Largadores partia de uma premissa completamente diferente.

– Sim.

– Talvez seja capaz de articular essa premissa agora.

– Não sei. No momento, não consigo nem lembrar da premissa dos Pegadores.

– Logo irá se lembrar. Toda história não é a elaboração de uma premissa?

– Sim, certo. E a premissa da história dos Pegadores é: "O mundo pertence ao homem". – Pensei durante alguns minutos, depois comecei a rir. – É quase exato demais. A premissa da história dos Largadores é: "O homem pertence ao mundo".

– E o que isso quer dizer?

– Quer dizer que... – Ri alto dessa vez. – É demais.

– Continue.

– Quer dizer que, desde o princípio, tudo o que vivia pertencia ao mundo. E foi assim que *as coisas vieram a ser como são*. As criaturas unicelulares que viviam nos antigos oceanos pertenciam ao mundo e por isso tudo o que se seguiu veio a existir. Os peixes próximos às margens dos continentes pertenciam ao mundo e por isso os anfíbios um dia vieram a existir. E, porque os anfíbios pertenciam ao mundo, os répteis um dia vieram a existir. E, porque os répteis pertenciam ao mundo, os mamíferos um dia vieram a existir. E, porque os mamíferos pertenciam ao mundo, os primatas um dia vieram a existir. E, porque os primatas pertenciam ao mundo, o *Australopithecus* um dia veio a existir. E, porque o *Australopithecus* pertencia ao mundo, o homem um dia veio a existir. E durante três milhões de anos o homem pertenceu ao mundo e, *porque* pertencia ao mundo, ele cresceu e se desenvolveu e se tornou mais inteligente e mais hábil, até se tornar tão inteligente e tão hábil, que tivemos de chamá-lo de *Homo sapiens sapiens*, o que significava que ele veio a ser o que somos.

– E foi assim que os Largadores viveram durante três milhões de anos: como se pertencessem ao mundo.

– Isso mesmo. E foi assim que *nós* viemos a ser.

5

Ismael disse:

– Sabemos o que acontece quando se adota a premissa dos Pegadores de que o mundo pertence ao homem.

– Sim, um desastre.

– E o que acontece quando se adota a premissa dos Largadores de que o homem pertence ao mundo?

– A criação continua para sempre.

– O que acha disso?

– Tem o meu voto.

6

– Algo me ocorreu – disse eu.

– Sim?

– Ocorreu-me que a história que acabei de contar é de fato a que os Largadores encenam aqui há três milhões de anos. A história dos Pegadores é: "Os deuses fizeram o mundo para o homem, mas foi um serviço malfeito, e tivemos que tomar a situação em nossas próprias mãos, pois somos mais competentes". A história dos Largadores é: "Os deuses criaram o homem para o mundo, assim como criaram o salmão, o pardal e o coelho para o mundo. Esse sistema parece ter funcionado muito bem até agora; portanto, podemos relaxar e deixar que os deuses governem o mundo".

– Isso mesmo. Há outros modos de contar essa história, assim como há outros modos de contar a dos Pegadores, mas esse modo é tão bom quanto os outros.

Fiquei em silêncio por um momento.

– Estou pensando sobre... o significado do mundo, as intenções divinas no mundo e o destino do homem segundo essa história.

– Continue.

– O significado do mundo... Acho que o terceiro capítulo do Gênese estava certo. O mundo é um jardim, o jardim dos deuses. Digo isso ainda que, pessoalmente, duvide muito que os deuses tenham algo a ver com isso. Apenas acho que é um modo saudável e encorajador de pensar a questão.

– Entendo.

– E há duas árvores no jardim: uma para os deuses e outra para nós. A árvore dos deuses é a Árvore do Conhecimento do Bem e do Mal, e a nossa árvore é a Árvore da Vida. Mas somente poderemos encontrar a Árvore da Vida se ficarmos no jardim. E somente poderemos ficar no jardim se não nos aproximarmos da árvore dos deuses.

Ismael acenou com a cabeça, encorajando-me a continuar.

– Intenções divinas... Parece que há uma espécie de tendência na evolução, não acha? Se partirmos daquelas criaturas ultrassimples dos mares antigos e subirmos degrau por degrau até tudo o que existe agora, e além, podemos observar uma tendência para a... complexidade. E para a consciência e a inteligência. Concorda?

– Sim.

– Ou seja – continuei –, todos os tipos de criatura deste planeta parecem estar prestes a adquirir consciência e inteligência. Nesse caso, os deuses certamente não tinham só os humanos em mente. Nunca fomos criados para ser os únicos atores no palco. Aparentemente, a intenção dos deuses foi que este planeta estivesse *cheio* de criaturas dotadas de consciência e inteligência.

– É o que parece. E, se for assim, o destino do homem se torna simples.

– Sim. Por incrível que pareça, *é* simples. O homem foi apenas o primeiro. Foi o guia, o desbravador. Seu destino é ser o primeiro a entender que as criaturas como o homem têm uma escolha: podem tentar superar os deuses e perecer nessa tentativa ou podem ficar de lado e abrir espaço para o restante. Mas não é só isso. Seu destino é ser o pai de todas elas, não por descendência direta, mas por dar a todos uma chance. Ao dar uma chance às baleias, aos golfinhos, aos chimpanzés e aos quatis, ele se tornará, de certo modo, seu progenitor. Curiosamente, é um destino ainda maior do que o sonhado pelos Pegadores.

– Como assim?

– Imagine só. Daqui a um bilhão de anos, seja o que ou quem existir então dirá: "O homem? Sim, o homem! Que criatura maravilhosa ele foi! Estava em seu poder destruir o mundo inteiro e jogar o futuro de todos nós na lama. Mas ele viu a luz antes que fosse tarde demais e recuou. Recuou e deu a todos nós uma chance. Mostrou-nos o que *precisava ser feito* para que o mundo continuasse para sempre um jardim. O homem foi o modelo de todos nós!"

– Não é um destino desprezível. E me ocorre que...

– Sim?

– Isso dá um pouco de forma à história. O mundo é um lugar muito, muito bom. Nunca foi um caos. Não precisa ser conquistado e governado pelo homem. Em outras palavras, o mundo não precisa pertencer ao homem, mas *é* preciso que o homem pertença a ele. Era necessário que *alguma* criatura passasse primeiro por isso, que visse que havia duas árvores no jardim: uma boa para os deuses e outra boa para as criaturas. Era necessário que alguma criatura encontrasse o caminho, e se isso ocorrer... não haverá mais limite para o que pode acontecer aqui. Em outras palavras, o homem tem um papel no mundo, mas não o de *governar*. Os deuses se encarregam disso. O papel do homem é ser o primeiro. O papel do homem é ser o primeiro *sem ser o último*. O papel do homem é descobrir como é possível fazer isso e, depois, abrir espaço para outros que são capazes de se tornar o que ele se tornou. E, talvez, quando chegar a hora, o papel do homem será o de professor de todos os outros que são capazes de se tornar o que ele se tornou. Não será o único nem o último professor. Talvez apenas o primeiro professor, o professor do jardim de infância. Mas mesmo isso não seria desprezível. E sabe de uma coisa?

– O quê?

– Durante todo esse tempo, disse para mim mesmo: "Sim, é tudo muito interessante, mas de que adianta? Isso não vai mudar nada!"

– E agora?

– Acho que precisamos não só *parar* ou *diminuir* o que estamos fazendo. Precisamos trabalhar por algo positivo. Precisamos de uma visão de algo que... Não sei, algo que...

– Acho que está tentando dizer que precisam não só ser repreendidos e se sentir idiotas e culpados. Precisam não só de uma visão da ruína. Precisam de uma visão do mundo e de si mesmos que os motive.

– Sim, sem dúvida. Parar com a poluição não é motivante. Separar o lixo não é motivante. Diminuir os fluorcarbonos não é motivante. Mas... pensar em nós mesmos de uma nova maneira, pensar no mundo de uma nova maneira... Isso seria... – Parei por aí. Que droga, ele sabia o que eu tentava dizer!

7

– Creio que agora entende uma observação que fiz quando começamos. A história que está sendo encenada aqui não é de forma alguma o capítulo dois da história que estava sendo encenada durante os três primeiros milhões de anos da história humana.

– Qual é o capítulo dois?

– Acabou de resumi-lo, não foi?

– Não sei bem.

Ismael ficou pensativo por um momento.

– Nunca saberemos o que os Largadores da Europa e da Ásia faziam quando as pessoas de sua cultura chegaram para enterrá-los para sempre. Mas sabemos o que faziam na América do Norte. Buscavam modos de adaptação que estivessem de acordo com a vida que sempre levaram, modos que deixassem espaço para que o restante da vida prosseguisse em volta deles. Não digo que tenham feito isso levados por nobres ideais. Digo apenas que não lhes ocorria tomar a vida do mundo nas próprias mãos e declarar guerra ao restante da comunidade da vida. Se a situação prosseguisse desse modo por mais cinco mil ou dez mil anos, poderiam ter aparecido neste continente dezenas de civilizações tão sofisticadas quanto a sua é agora, cada uma delas com seus próprios valores e objetivos. Não é algo impensável.

– Não, não é. Ou melhor, é. Segundo a mitologia dos Pegadores, toda civilização que existir em qualquer parte do universo deve ser *Pegadora*, deve ser uma civilização em que as pessoas tomam a vida que há no mundo nas próprias mãos. Isso é tão óbvio que não precisa ser mostrado. Ora, toda civilização alienígena na história da ficção científica foi uma civilização Pegadora. Toda civilização que a USS *Enterprise* já encontrou foi uma civilização Pegadora. Isso porque é ponto pacífico que qualquer criatura inteligente, seja onde for, fará questão de tirar sua vida das mãos dos deuses, saberá que o mundo lhe pertence, e não o contrário.

– É verdade.

– E isso fez surgir uma pergunta importante em minha mente. O que, exatamente, significaria pertencer ao mundo neste momento? É óbvio que não está dizendo que apenas os caçadores-coletores pertencem realmente ao mundo.

– Estou satisfeito por você perceber isso. Mas, se os bosquímanos da África ou os calapalos do Brasil (se é que ainda restou algum) quiserem continuar a viver desse modo durante os próximos dez milhões de anos, isso só pode ser benéfico para eles e para o mundo.

– É verdade. Mas isso não responde à minha pergunta. Como as pessoas civilizadas podem pertencer ao mundo?

Ismael meneou a cabeça com uma mistura de impaciência e exasperação.

– Ser civilizado não tem nada a ver com isso. Como as tarântulas podem pertencer ao mundo? Como os tubarões podem pertencer ao mundo?

– Não estou entendendo.

– Olhe em volta e verá que algumas criaturas agem como se o mundo lhes pertencesse e que outras agem como se elas pertencessem ao mundo. É capaz de distingui-las?

– Sim.

– As criaturas que agem como se elas pertencessem ao mundo seguem a lei da paz e, porque seguem essa lei, dão às criaturas ao seu redor a chance de crescer e alcançar o grau de evolução que lhes for possível. Foi assim que o homem veio a existir. As criaturas ao redor do *Australopithecus* não imaginavam que o mundo lhes pertencesse; então, elas deixaram que ele vivesse e crescesse. Como a civilização modifica isso? A civilização torna *necessário* destruir o mundo?

– Não.

– Ser civilizado *impossibilita* que os homens concedam às criaturas que os cercam espaço para viver?

– Não.

– Ele impossibilita que vivam de modo tão inocente como os tubarões, as tarântulas e as cascavéis?

– Não.

– Ele impossibilita que sigam uma lei que até mesmo as lesmas e as minhocas seguem sem dificuldade?

– Não.

– Como observei há algum tempo, a colonização humana não é *contra* a lei, e sim *sujeita* a ela. E o mesmo vale para a civilização. Então, qual é a sua pergunta, exatamente?

– Já não sei mais. Obviamente, pertencer ao mundo significa... pertencer ao mesmo clube a que todos pertencem. O clube é a comunidade da vida. Significa pertencer ao clube e seguir as mesmas normas seguidas por todos.

– E, se ser civilizado significa alguma coisa, deve significar que vocês são os líderes do clube, e não apenas criminosos e destruidores.

– É verdade.

8

– Voltando ao tema da motivação, parece-me que recentemente aconteceu algo bastante animador – disse Ismael.

– O quê?

– Todos os meus outros alunos, quando alcançavam esse ponto, diziam: "Sim, tudo isso é maravilhoso, mas as pessoas não vão abrir mão do controle sobre o mundo. Isso não poderá acontecer. Nunca, nem em mil anos". E eu não tinha nada para apontar como um exemplo promissor do contrário. Agora tenho.

Levei algum tempo para descobrir o que era.

– Creio que está falando do que vem acontecendo na União Soviética e na Europa oriental nos últimos anos.

– Isso mesmo. Há dez, vinte anos atrás, se alguém predissesse que o marxismo seria desmantelado *a partir de cima* seria considerado um visionário sem salvação, um completo louco.

– Sim, é verdade.

– Mas, logo que as pessoas desses países foram motivadas pela possibilidade de um novo modo de vida, o desmantelamento ocorreu quase da noite para o dia.

– Sim, entendo o que está dizendo. Há cinco anos, eu teria dito que não haveria motivação capaz de realizar aquilo... ou isso.

– E agora?

– Agora, está começando a se tornar concebível. Extremamente improvável, mas não inimaginável.

9

– Mas tenho outra pergunta – acrescentei.

– Diga.

– Seu anúncio dizia: "Deve ter um desejo sincero de salvar o mundo".

– Sim?

– O que devo fazer se tiver um desejo sincero de salvar o mundo?

Ismael franziu a testa por trás das grades durante um longo tempo.

– Está querendo um programa?

– É claro que quero um programa.

– Está bem, aqui está. A história do Gênese precisa ser invertida. Primeiro, Caim deve parar de matar Abel. Isso é essencial para que a humanidade sobreviva. Entre as espécies ameaçadas de extinção, os Largadores são a mais crucial para o mundo. Não só por serem humanos, mas porque só eles podem mostrar aos destruidores do mundo que não há *um único modo correto* de se viver. Depois, é claro, vocês devem cuspir o fruto da árvore proibida. Devem abdicar de uma vez por todas da ideia de que sabem quem deve viver e quem deve morrer neste planeta.

– Sim, entendo tudo isso, mas deu-me um programa para a *humanidade*, e não para *mim*. O que *eu* devo fazer?

– Deve ensinar para cem pessoas o que eu lhe ensinei, e motivar cada uma delas a ensinar outras cem. É assim que se faz sempre.

– Sim, mas... isso *basta*?

Ismael franziu a testa.

– É claro que não. Mas, se começar de qualquer outro modo, não haverá esperança. Não pode achar que vai mudar o comportamento das pessoas em relação ao mundo sem mudar o modo como pensam sobre o mundo, ou sobre as intenções divinas no mundo, ou sobre o destino do homem. Enquanto as pessoas de sua cultura estiverem convencidas de que o mundo pertence a elas, e que o destino que os deuses lhes outorgaram é conquistá-lo e governá-lo, é claro que continuarão a agir do modo como vêm agindo nos últimos dez mil anos. Continuarão a tratar o mundo como se fosse propriedade humana e continuarão a conquistá-lo como se fosse um adversário. Não se pode mudar essas coisas com *leis*. É preciso mudar a *mente* das pessoas. E não se pode simplesmente extrair um complexo nocivo de ideias e deixar um vazio no lugar. É preciso dar às pessoas algo tão significativo quanto aquilo que perderam, algo que faça mais sentido do que o antigo e abominável Homem Supremo, varrendo tudo do planeta que não sirva às suas necessidades, direta ou indiretamente.

Meneei a cabeça.

– Está dizendo que alguém precisa se erguer e se tornar para o mundo de hoje o que São Paulo foi para o Império Romano.

– Sim, basicamente. Seria algo muito assustador?

Comecei a rir.

– Assustador não seria a palavra. Chamar isso de assustador é como chamar o oceano Atlântico de úmido.

– Seria mesmo algo tão impossível numa era em que um comediante na televisão atinge mais gente em dez minutos do que Paulo em toda a sua vida?

– Não sou comediante.

– Mas é escritor, não é?

– Não desse tipo.

Ismael encolheu os ombros.

– Sorte sua. Está liberado de qualquer obrigação. Foi uma autoliberação.

– Não disse isso.

– O que esperava ouvir de mim? Um encantamento? Uma palavra mágica que fizesse desaparecer tudo de negativo?

– Não.

– Afinal, parece que você não é diferente daqueles que aparenta desprezar. Só queria algo para si. Algo que o fizesse se sentir melhor enquanto vê o fim se aproximar.

– Não, não é nada disso. É que você não me conhece muito bem. Sou sempre assim. No começo digo: "Não, é impossível, completa e infinitamente impossível". Depois, vou em frente e faço.

10

– Deixei passar um pequeno ponto – disse Ismael e depois deu um longo e ruidoso suspiro, como se lamentasse a lembrança.

Esperei em silêncio.

– Um de meus alunos era um ex-presidiário. Assaltava à mão armada, de fato. Contei-lhe isso?

Respondi que não.

– Creio que trabalharmos juntos foi mais útil para mim do que para ele. Basicamente, o que aprendi com ele é que, ao contrário da impressão que nos dão os filmes de prisão, a população de um presídio está longe de ser uma massa indiferenciada. Como no mundo exterior, há ricos e pobres, poderosos e fracos. E, relativamente falando, os ricos e poderosos vivem muito bem dentro da prisão. Não tão bem como vivem fora, é claro, mas muito, muito melhor que os pobres e fracos. Na verdade, podem ter quase tudo o que quiserem em termos de drogas, comida, sexo e serviços.

Franzi as sobrancelhas.

– Quer saber o que isso tem a ver com a conversa – concluiu ele.
– Tem a ver da seguinte maneira: o mundo dos Pegadores é uma vasta prisão e, exceto por um punhado de Largadores espalhados pelo mundo, toda a raça humana está agora dentro dessa prisão. Durante o último século, foi dada uma escolha a todo povo Largador remanescente na América do Norte: ser exterminado ou aceitar a prisão. Muitos escolheram a prisão, mas poucos foram capazes de realmente se adaptar à vida de prisioneiro.

– É, parece que foi assim.

Ismael me dirigiu os olhos úmidos e cansados.

– Naturalmente, uma prisão bem-administrada deve ter uma fábrica. Deve saber o motivo.

– Bem... ajuda a manter os prisioneiros ocupados, creio eu. Afasta-os do tédio e futilidade de sua vida.

– Certo, e sabe o que vocês fazem em sua fábrica?

– Na fábrica da nossa prisão? Não, mas suponho que seja óbvio.

– Bastante óbvio, eu diria.

Pensei um pouco.

– Destruímos o mundo.

Ismael aprovou com um gesto de cabeça.

– Acertou na primeira.

11

– Há uma diferença importante entre os internos de suas prisões criminais e os internos de sua prisão cultural. Os primeiros entendem que a distribuição de riqueza e poder dentro da prisão não tem nada a ver com justiça.

Fiquei olhando para ele durante algum tempo, depois lhe pedi que explicasse.

– Em sua prisão cultural, que internos detêm o poder?

– Ah – disse eu. – Os internos do sexo masculino. Principalmente os brancos.

– Sim, isso mesmo. Mas entenda que esses internos brancos são realmente internos, e não guardas. A despeito do poder e dos privilégios, a despeito de mandarem em todos dentro da prisão, nenhum deles tem a chave para abrir o portão.

– Sim, é verdade. Donald Trump pode fazer várias coisas que não posso, mas é tão incapaz de sair da prisão quanto eu. Mas o que isso tem a ver com justiça?

– A justiça exige que não só os prisioneiros do sexo masculino tenham poder dentro da prisão.

– Sim, entendo. Mas o que está dizendo? Que isso não é verdade?

– Verdade? Claro que é verdade que os homens (e, como disse, principalmente os brancos do sexo masculino) deram as cartas dentro da prisão durante mil anos, talvez até mesmo desde o início. É claro que é verdade que isso é injusto. E é claro que é verdade que o poder e a riqueza dentro da prisão deveriam ser igualmente redistribuídos. Mas devemos notar que o crucial para sua sobrevivência como raça não é a redistribuição de poder e riqueza dentro da prisão, mas sim a destruição da própria prisão.

– Sim, percebo isso. Mas não sei se muita gente perceberia.

– Não?

– Não. Para os ativistas políticos, a redistribuição da riqueza e do poder é... Não sei como descrever com veemência suficiente. Uma ideia que chegou para nos salvar. O Santo Graal.

– No entanto, libertar-se da prisão dos Pegadores é uma causa comum, que toda a humanidade pode apoiar.

Meneei a cabeça, discordando.

– Creio que é uma causa que nenhuma parcela da humanidade apoiará. Brancos ou negros, homens ou mulheres, o que as pessoas desta cultura querem é ter o máximo possível de riqueza e poder dentro da prisão dos Pegadores. Não dão a mínima se é uma prisão e não dão a mínima se está destruindo o mundo.

Ismael encolheu os ombros.

– Como sempre, está sendo pessimista. Talvez esteja certo. Espero que esteja errado.

– Também espero, acredite.

12

Apesar de nossa conversa ter durado apenas cerca de uma hora, Ismael parecia exausto. Fiz alguns ruídos indicando que partiria, mas ele evidentemente tinha algo mais a dizer. Enfim, levantou os olhos e disse:

– Percebe que chegamos ao fim.

Acho que o efeito teria sido o mesmo se ele tivesse me enfiado uma faca no estômago.

Ele fechou os olhos por um momento.

– Perdoe-me. Estou cansado e não me expressei bem. Não quis dizer aquilo da maneira como soou.

Eu não sabia como responder, mas consegui esboçar um aceno de cabeça.

– Quis dizer apenas que terminei o que me propus fazer. Como professor, nada mais tenho a lhe oferecer. No entanto, gostaria de tê-lo como amigo.

Mais uma vez, só consegui fazer um gesto de cabeça.

Ismael estremeceu e lançou um olhar sonolento ao redor, como se momentaneamente tivesse se esquecido de onde estava. Então, deu um passo para trás e soltou um magnífico espirro.

– Olhe – disse eu, levantando-me. – Voltarei amanhã.

Ele me lançou um longo e sombrio olhar; imaginava o que mais eu esperava dele, mas estava cansado demais para perguntar. Dispensou-me com um resmungo e um aceno de cabeça de despedida.

TREZE

1

Naquela noite, antes de adormecer em minha cama de motel, finalizei meu plano. Era um plano ruim e eu sabia, mas não conseguira pensar em nada melhor. Gostasse Ismael ou não (e eu sabia que não gostaria), eu tinha de salvá-lo daquele maldito parque de diversões.

Era um plano ruim em outro sentido: dependia inteiramente de mim e de meus magros recursos. Tinha apenas uma carta e, se tivesse de virá-la, imaginava que seria um dois.

Às nove horas da manhã seguinte, eu passava por uma pequena cidade a meio caminho de casa, procurando um lugar para tomar o café da manhã, quando uma luz indicando que o motor esquentara demais acendeu no painel do carro, obrigando-me a encostar. Levantei o capô e verifiquei o óleo. O nível do óleo estava bom. Verifiquei o reservatório de água do radiador: seco. Tudo bem. Sendo um viajante cauteloso, sempre levo água extra. Enchi o reservatório, fui em frente e, dois minutos depois, a luz acendeu outra vez. Consegui chegar a um posto de gasolina onde se lia numa placa "Mecânico de plantão", mas não havia mecânico nenhum de plantão. Mesmo assim, o sujeito que *estava* de plantão sabia trinta vezes mais do que eu sobre carros e se dispôs a dar uma olhada.

– O ventilador do radiador não está funcionando – informou-me ele, depois de quinze segundos.

Mostrou-me a peça e explicou-me que geralmente só a instalavam em carros que rodavam na cidade, pois frear e continuar a rodar esquentava o motor.

– Será que queimou um fusível? – perguntei.

– Pode ser – admitiu ele, mas excluiu a hipótese depois de experimentar outro, que adiantou tanto quanto o anterior. Mandou-me esperar e foi buscar um instrumento para testar a conexão entre o ventilador e o sistema elétrico.

– Deu curto-circuito no ventilador – constatou ele. – Acho que é esse mesmo o problema.

– Onde posso comprar outro?

– Aqui na cidade, em nenhum lugar – disse ele. – Não aos sábados.

Perguntei-lhe se conseguiria voltar para casa daquele jeito.

– Acho que sim – respondeu ele. – Se não precisar rodar muito na cidade para chegar. Ou se parar e esperar o motor esfriar sempre que começar a esquentar demais.

Consegui voltar e deixei o carro numa oficina antes do meio-dia, ainda que me garantissem que não mexeriam nele até a manhã de segunda-feira. Só tinha uma tarefa a cumprir, que era visitar uma daquelas adoráveis caixas eletrônicas de banco, onde raspei todos os meus fundos em dinheiro vivo: conta-corrente, poupanças, cartões de crédito. De volta ao meu apartamento, tinha comigo dois mil e quatrocentos dólares e, com a exceção dessa quantia, era um mendigo.

Não pretendia pensar nos problemas que me aguardavam: eram duros demais. Como retirar um gorila de meia tonelada de uma jaula que ele não pretendia deixar? Como colocar um gorila no banco traseiro de um carro que ele não pretendia ocupar? Um carro com um gorila de meia tonelada no banco traseiro andaria?

Como tudo indica, sou um sujeito que resolve cada coisa de uma vez. Um improvisador, de um jeito ou de outro, enfiaria Ismael na traseira do carro e depois pensaria no que fazer. Provavelmente, o traria ao meu apartamento, e mais uma vez pensaria no que fazer depois. Sei por experiência própria que só sabemos como resolver um problema depois que ele aparece.

2

Telefonaram-me às nove horas da segunda-feira para me dizer o que havia com o carro. O ventilador pifara porque se sobrecarregara e se sobrecarregara porque todo o maldito sistema de refrigeração pifara. Era preciso muita mão de obra, no valor de cerca de seiscentos dólares. Gemi, mas disse-lhes para irem em frente. Disseram que ficaria pronto por volta das duas da tarde, mas que me avisariam. Eu disse que não precisavam avisar, que eu apanharia o carro quando pudesse. O fato é que eu já abandonara o carro. Não podia arcar com o conserto e, de qualquer maneira, a lata-velha não serviria para carregar Ismael.

Aluguei uma perua.

Devem estar se perguntando por que não fiz isso desde o começo, afinal. A resposta é: não tive essa ideia. Sou limitado, certo? Acostumo-me a fazer as coisas de certas maneiras, que não incluem viajar em peruas alugadas.

Duas horas depois, eu parava no terreno do parque de diversões e exclamava:

– Droga!

O parque se mudara.

Alguma coisa – talvez uma premonição – me fez sair do carro para investigar. O terreno parecia pequeno demais para já ter contido dezenove brinquedos, vinte e quatro jogos e uma tenda de espetáculos. Imaginei se conseguiria encontrar o local onde estivera a jaula de Ismael sem nenhuma referência para me guiar. Meus pés se lembravam do suficiente para me levar até os arredores, e meus olhos fizeram o resto, pois havia um sinal visível: os cobertores que eu comprara para ele haviam sido deixados, largados de qualquer jeito numa pilha junto com outras coisas que reconheci – alguns de seus livros, um bloco de papel de desenho ainda mostrando os mapas e diagramas que ele fizera para ilustrar as histórias de Caim e Abel, dos Largadores e Pegadores, e os cartazes de sua sala, agora enrolados e presos por um elástico.

Perplexo, eu remexia e separava esse monte de objetos quando meu velho subornado apareceu. Ele sorriu e ergueu um grande saco plástico, mostrando-me o que fazia: limpava parte do vasto lixo que fora deixado. Depois, quando viu a pilha a meus pés, olhou-me e disse:

– Foi pneumonia.

– O quê?

– Foi pneumonia que acabou com seu amigo, o macaco.

Fiquei parado, olhando-o, sem compreender o que dizia.

– O veterinário veio no sábado à noite e o encheu de injeções, mas era tarde demais. Foi-se esta manhã, por volta das sete ou oito horas.

– Está me dizendo que ele... morreu?

– Morreu pra valer, compadre.

E eu, o completo egoísta, notara apenas remotamente que ele parecera um pouco abatido.

Olhei ao redor do vasto terreno cinzento onde, aqui e ali, o vento erguia montes de papel velho, às vezes os arrastando pelo chão, e me identifiquei com o lugar: vazio, inútil, coberto de poeira, um deserto árido.

Meu velho compadre aguardava, obviamente interessado no que este amigo dos macacos faria ou diria em seguida.

– O que fizeram com ele? – perguntei.

– Como?

– O que fizeram com o corpo?

– Ah, acho que chamaram a prefeitura. Levaram-no para o lugar onde cremam os indigentes, sabe?

– Sim, obrigado.

– Não tem de quê.

– Tudo bem se eu levar estas coisas?

Pelo olhar que me dirigiu, vi que lhe apresentara mais um marco da insanidade humana. Mas tudo o que disse foi:

– Claro, por que não? Iria para o lixo mesmo.

Deixei os cobertores, mas o resto acomodei facilmente sob o braço.

O que me restava fazer? Ficar plantado, com os olhos baixos, diante da fornalha onde a prefeitura crema os animais atropelados? Outra pessoa teria se comportado de modo diferente, talvez melhor, revelando um coração maior, uma sensibilidade mais apurada. Peguei o carro e fui embora.

Fui embora: devolvi a perua, busquei meu carro e voltei para o apartamento. Sentia um novo tipo de vácuo, um novo grau de vazio.

Havia um telefone sobre a mesa de canto, que poderia me conectar a todo um mundo de vida e atividades, mas para quem poderia ligar?

Curiosamente, lembrei-me de alguém. Procurei o número e disquei. Após três chamadas, uma voz baixa e firme atendeu.

– Residência da sra. Sokolow.

– Sr. Partridge?

– Sim, é ele.

– Aqui é a pessoa que o visitou há algumas semanas, tentando localizar Rachel Sokolow.

Partridge esperou, mudo.

– Ismael está morto – informei.

Houve uma pausa.

– Estou muito sentido em saber.

– Poderíamos tê-lo salvado.

Partridge pensou um pouco.

– Tem certeza de que ele teria nos deixado fazer isso?

Não tinha certeza, e foi o que respondi.

4

Foi só quando levei o cartaz de Ismael para a loja de molduras que descobri que havia mensagens dos dois lados dele. Mandei emoldurar de modo que ambas ficassem visíveis. De um lado, estava a mensagem que Ismael exibira na parede de sua sala:

COM O FIM DA HUMANIDADE
HAVERÁ ESPERANÇA
PARA O GORILA?

A mensagem do outro lado dizia:

COM O FIM DO GORILA
HAVERÁ ESPERANÇA
PARA A HUMANIDADE?

DANIEL QUINN

Daniel Quinn nasceu em Omaha, Nebraska, em 1935, e faleceu em Houston, Texas, em 2018. Estudou na Universidade de St. Louis, na Universidade de Viena e na Universidade Loyola de Chicago. Em 1975, Quinn abandonou uma longa carreira de editor para tornar-se escritor *free-lance*.

A primeira versão do livro que veio a ser *Ismael* – seu livro premiado – foi escrita em 1977. Seguiram-se seis outras versões, até o livro encontrar sua forma final, como ficção, em 1990. Quinn passou a aprofundar as origens e experiências de Ismael numa autobiografia altamente inovadora, com o título: *Providence – The story of a fifty year vision quest.*

A respeito de sua obra de ficção, Quinn escreveu: "Durante anos, preocupei-me com a possibilidade de jamais igualar – muito menos ultrapassar – o que consegui em *Ismael*. Essa dúvida apagou-se, para mim, com *A história de B.* Ismael certamente aprovaria esse livro".

Copyright © 1992 Daniel Quinn

Editora **Renata Farhat Borges**
Tradução **Thelma Médice Nóbrega**
Projeto gráfico **Márcio Koprowski**
Imagem da capa **Taisa Borges**

Editado conforme o Acordo Ortográfico da Língua Portuguesa de 1990.
3ª edição, 2022 – 1ª reimpressão, 2025

Dados Internacionais de Catalogação na Publicação (CIP) de acordo com ISBD

Q7i   Quinn, Daniel

           Ismael / Daniel Quinn ; traduzido por Thelma Médice ; ilustração de capa de Taisa Borges. - São Paulo : Peirópolis, 2022.

           244 p. ; 16cm x 23cm.

           Tradução de: Ishmael

           ISBN: 978-65-5931-189-7

           1. Literatura americana. 2. Romance. I. Médice, Thelma. II. Borges, Taísa. III. Título.

2022-1214   CDD 813.5
                                                                                   CDU 821.111(73)-31

Elaborado por Vagner Rodolfo da Silva - CRB-8/9410

       Índice para catálogo sistemático:
       1.   Literatura brasileira : Romance 813.5
       2.   Literatura brasileira : Romance 821.111(73)-31

Disponível na versão digital em ePub (ISBN 978-65-5931-188-0)

A gente publica o que gosta de ler: livros que transformam.

Rua Girassol, 310F | Vila Madalena | 05433-000 | São Paulo SP
tel.: (11) 3816-0699
vendas@editorapeiropolis.com.br
www.editorapeiropolis.com.br

Este livro, composto em Quicksand, Baskerville e TaisaBorges,
foi impresso em papel Avena 80 g/m2 na Gráfica Assahi
em janeiro de 2025.